Les fêtes,
couleurs de la vie

Charles Wackenheim

Les fêtes, couleurs de la vie

NOVALIS

Les fêtes, couleurs de la vie est publié par Novalis.
Couverture : Audrey Wells
Photo de la couverture : Gene Plaisted
Mise en pages : Christiane Lemire et Caroline Galhidi

Dépôt légal : 3e trimestre 2005
Bibliothèque nationale du Canada
Bibliothèque nationale du Québec

Novalis, 4475, rue Frontenac, Montréal (Québec), H2H 2S2
C.P. 990, succursale Delorimier, Montréal (Québec), H2H 2T1

ISBN : 2-89507-618-9

Imprimé au Canada

Nous reconnaissons l'aide financière du gouvernement du Canada par l'entremise du Programme d'aide au développement de l'industrie de l'édition (Padié) pour nos activités d'édition.

Note : Dans ce document, la forme masculine est utilisée dans le seul but d'alléger le texte.

Catalogage avant publication de Bibliothèque et Archives Canada

Wackenheim, Charles

Les fêtes, couleurs de la vie

ISBN 2-89507-618-9

1. Fêtes religieuses - Christianisme. 2. Noël. 3. Pâques. 4. Pentecôte (Fête). 5. Toussaint. I. Titre.

BV43.W32 2005 263'.9 C2005-941199-6

Avant-propos

Les principales fêtes de l'année chrétienne ont, au fil des siècles, marqué de leur empreinte la sensibilité, les rythmes sociaux et les modes de vie d'une partie notable de l'humanité. Le mouvement contemporain de sécularisation tend à les populariser tout en appauvrissant leur substance spirituelle. C'est ainsi que Noël est devenu le plus grand marché de l'année et que la Toussaint rassemble les familles autour du souvenir de leurs membres défunts.

Une telle évolution ne saurait laisser les chrétiens indifférents. Que représentent, dans le monde d'aujourd'hui, ces escales festives que nous célébrons dans nos églises, mais dont nous avons du mal à ressaisir la signification vitale? Plus précisément, quel sens donnons-nous aux quatre solennités qui, dans les régions tempérées, s'inscrivent si éloquemment dans les saisons de l'année : Noël à l'entrée de l'hiver, Pâques dans l'éclat du printemps, la Pentecôte au seuil de l'été et la Toussaint au cœur de l'automne? Il ne suffit pas de rappeler que ces fêtes déploient dans l'espace et le temps liturgiques les moments clés de l'histoire du salut, à savoir la venue sur terre du Fils de Dieu, sa passion et sa résurrection, l'effusion de l'Esprit sur l'Église naissante et l'achèvement de l'histoire dans la communion des saints. Nous avons à redécouvrir et à nous approprier à frais nouveaux la surprenante fécondité de ces temps forts du calendrier ecclésial.

Or, dans sa diversité, ce trésor fait penser aux couleurs qui habillent et égaient notre vie de tous les jours. Les grandes fêtes qualifient différemment les situations que nous vivons dans le cadre d'une année ou au cours d'une séquence plus longue. Le langage des couleurs suggère d'évoquer les lumières douces et chaudes de la nuit de Noël, les vifs coloris du matin de Pâques, les langues de feu de la Pentecôte ou encore les teintes ocre et or de la Toussaint. Il dépend de nous que chacune de ces célébrations soit l'occasion d'une joie partagée au regard de l'arc-en-ciel de nos différences. Il y a là de quoi chasser l'ennui qui naît de l'habitude et de la morne répétition.

C'est aussi une invitation au voyage, car l'homme est sans cesse à la recherche de coloris, de paysages et d'horizons nouveaux. Ainsi, chaque fête ouvre un chemin de vie :

— Noël, un chemin de renaissance dans le sillage de la naissance humaine de Dieu;

— Pâques, un chemin de libération à la suite du Christ victorieux du péché et de la mort;

— la Pentecôte, un chemin d'invention sous la mouvance de l'Esprit;

— la Toussaint, un chemin de fraternité, puisque nous voici solidaires, non seulement des témoins exemplaires de Dieu, mais de tous ses enfants, vivants et morts.

Il y a bien des manières de fêter la vie chrétienne : en assemblée eucharistique, en petits groupes ou dans le cercle familial. Je propose ici un ensemble de méditations sur Noël, Pâques, la Pentecôte et la Toussaint, dont l'objectif est d'accompagner la démarche festive d'un effort de réflexion et d'appropriation. Puisse cette approche, complémentaire des autres, donner goût et saveur à nos chemins de vie, si éprouvants soient-ils parfois! La petite fille espérance ne cesse de nous faire signe.

I

Noël
Chemin de renaissance

La Bible raconte une extraordinaire histoire d'amour entre Dieu et les hommes. Aux yeux de l'Église chrétienne, les attentes de la première Alliance ont été comblées par la naissance sur terre du Fils éternel de Dieu. Ce fut là, pour le monde, un nouveau commencement et une promesse inouïe de renaissance. À la suite de Jésus — né de Marie (Noël) et révélé aux nations (Épiphanie) —, ses disciples se savent appelés à naître et à renaître sous le signe de la bonne nouvelle que cet homme est venu annoncer.

Le mot français « Noël » dérive du latin *natalis*, jour de naissance. Mais la Nativité du Sauveur est d'autant moins un anniversaire que la date exacte de sa venue au monde nous échappe. Le 25 décembre a été retenu pour supplanter la fête païenne du solstice d'hiver, appelée « Naissance du soleil ». Les Églises d'Orient solennisent plutôt le 6 janvier parce que l'Égypte ancienne célébrait le solstice d'hiver ce jour-là. Noël et l'Épiphanie fêtent la venue parmi nous de l'Envoyé de Dieu, que les textes bibliques appellent « Soleil de justice » et « Lumière du monde ».

Et si nous nous demandions à notre tour qui est ce Jésus de Nazareth dont Jean Baptiste disait : « Au milieu de vous se tient quelqu'un que vous ne connaissez pas »? Les premières générations chrétiennes ne retinrent d'abord de lui que son message et les leçons de sa vie donnée. Pendant trois siècles, l'Église ne s'intéressait guère à l'histoire de sa naissance et de son enfance. Quand la Nativité du Sauveur commença d'être célébrée, c'est-à-dire au 4e siècle, elle fut d'emblée perçue comme une fête du Seigneur. C'est plus tard que l'accent se déplacera vers les récits de l'enfance, canoniques ou apocryphes.

Noël ouvre un chemin de renaissance en nous rendant contemporains de l'avènement du règne de Dieu au cœur du monde. Contemporains et, par là même, témoins et si possible acteurs. Cette signification est renforcée, sous nos latitudes, par la symbolique du repos hivernal. C'est la saison du sommeil de la terre et des lentes germinations, celle qui prépare les éclosions futures. Voilà qui confère aux « fêtes de fin d'année » ce parfum d'espérance qui entre en connivence avec les attentes secrètes du cœur de l'homme.

Naître d'en haut

Les premiers Noëls du nouveau millénaire s'inscrivent dans un contexte mondial que les observateurs qualifient de préoccupant. Non seulement le fossé entre pays riches et pays pauvres, loin de se résorber, se creuse insensiblement en produisant des effets de plus en plus délétères : déséquilibres démographiques et culturels, exploitation économique, malnutrition, fléaux sanitaires, oppression politique. Mais, au cœur même des sociétés dites développées, de sourdes inquiétudes taraudent les populations, au sujet notamment du réchauffement de la planète, des pollutions de l'air, du sol et de l'eau, de la multiplication des catastrophes climatiques, des pauvretés et des pathologies nouvelles ou encore des possibles dérives des biotechnologies actuelles.

Jusqu'à ces dernières décennies, l'opinion publique faisait globalement confiance aux dirigeants et aux experts. Or, force est de constater qu'il arrive aux décideurs politiques ou économiques d'avouer leur impuissance et aux scientifiques de se contredire. L'homme « post-moderne » ressemble de plus en plus à un apprenti sorcier qui, faute d'avoir su mettre sa maîtrise technique au service d'un développement durable, s'expose à provoquer des cataclysmes que nul ne contrôle. Quelques mois avant sa mort, Théodore Monod venait de rééditer son livre *Sortie de secours* (paru en 1991) en lui donnant un nouveau titre éminemment significatif : *Et si l'aventure humaine devait échouer?*

Les hommes ne savent pas de quoi demain sera fait. Mais chacun peut désormais discerner, si peu que ce soit, le mal dont souffre notre temps, à savoir un grave déficit d'espérance et de projets humanisants. Les idéologies sociopolitiques du 20e siècle ont sombré dans un bain de sang; les convictions religieuses et les morales laïques ont perdu de leur vigueur traditionnelle; faute de repères, beaucoup de nos contemporains peinent à donner un sens à leur propre vie. Les défis qui nous assaillent ne requièrent rien de moins qu'une refondation éthique, spirituelle et institutionnelle. Si l'humanité ne veut pas succomber au cynisme et à la violence, il lui faut acquérir ce « supplément d'âme » que déjà Henri Bergson appelait de ses vœux il y a près d'un siècle. Aux chrétiens, le mystère de la Nativité offre à cet égard de puissantes motivations.

Si Dieu a voulu épouser la condition mortelle d'une créature, c'est qu'il s'interdit de renier son œuvre et de désespérer de l'homme. Certes, le Créateur n'entend pas se substituer aux sujets libres et responsables que nous sommes, mais il chemine mystérieusement avec nous, partageant nos joies et nos épreuves. Autant dire qu'il nous appartient de résoudre les problèmes que pose notre coexistence à la surface du globe. Dieu dispense la lumière et la force requises pour cette tâche jamais achevée. En conséquence, toute existence, si humble soit-elle, mérite d'être vécue, respectée et épaulée au nom de notre fondamentale communauté de destin.

Or Dieu est venu chez les pauvres. Cela ne signifie-t-il pas que la dignité et la grandeur d'un être résident, non dans ses biens ou sa notoriété, mais dans son aptitude à se laisser enrichir de la pauvreté d'autrui? Ce message est aujourd'hui battu en brèche par le règne du vedettariat et le culte de l'argent-roi qui prévalent sans vergogne dans notre monde. Ce qui compte dès lors, ce ne sont pas les qualités de l'esprit et du cœur, mais le prestige social et le succès médiatique. L'Église elle-même résiste difficilement aux attraits de la religion-spectacle, alors même qu'elle critique à bon droit les débordements du *show-business* moderne. L'avertissement du maître se révèle plus actuel que jamais : « Quand vous priez, ne soyez pas comme les hypocrites qui aiment faire leurs prières debout dans les synagogues et les carrefours, afin d'être vus des hommes » (Mt 6, 5).

Le jour de Noël, nous proclamons joyeusement que Dieu est entré dans notre monde en tant que nouveau-né. Ce fut, pour les hommes, une manière inattendue d'en finir avec une fausse idée de la divinité. Depuis la nuit des temps, en effet, ils s'étaient employés à magnifier leurs rêves et leurs aspirations en les projetant dans un ciel imaginaire. C'est ainsi qu'apparurent des dieux opulents, irascibles, intrigants, envieux et jaloux de leur pouvoir. Le Dieu d'Abraham, de Moïse, des prophètes et de Jésus n'a rien à voir avec de telles représentations. La Bible lui applique les images du berger, de l'époux, du père, du roi ou du juge. Plus audacieux que l'Ancien Testament, l'Évangile prête au Dieu vivant les traits d'un nouveau-né, démuni et désarmé, qui dépend entièrement de son entourage. Dieu accepte de naître dans le monde et le cœur des hommes, s'abandonnant aux mains de ses créatures avant d'être livré par elles à un supplice infamant. Cette naissance terrestre et humaine de Dieu a nourri la méditation de nombreux mystiques d'Orient et d'Occident.

Voici donc un Dieu faible, qui n'a rien à donner mais tout à recevoir. Jésus dira : « Les renards ont des terriers et les oiseaux du ciel ont des nids; le Fils de l'homme, lui, n'a pas où poser la tête » (Lc 9, 58). Ce qu'il offre aux hommes, c'est la possibilité pour eux de « naître d'en haut » ou de « naître à nouveau » (cf. Jn 3, 3), condition nécessaire pour accéder au royaume de Dieu. Noël n'est pas une célébration du souvenir, mais la fête d'une double naissance, actuelle et féconde : la naissance humaine de Dieu et la nouvelle naissance proposée à tout homme. Sommes-nous disposés à « naître d'en haut », avec l'enfant de Bethléem, afin de rendre visible et tangible la naissance de Dieu parmi nous?

Dieu au péril de l'homme

Juifs et chrétiens croient en un Dieu unique, créateur du monde et maître de l'histoire. Ils s'accordent à souligner l'infinie distance qui sépare le Dieu invisible de l'univers visible qu'il nous est donné d'explorer. S'il est vrai que le Créateur a « signé » son œuvre, il ne se confond pas pour autant avec elle. La Bible le redit à chaque page : l'homme ne saurait mettre la main sur le mystère de Dieu. En le louant et en parlant de lui, nous sommes bien obligés d'user des mots et des images provenant de notre expérience du monde. Mais Dieu est au-delà de l'horizon qui borne notre existence terrestre. Son amour nous précède et nous enveloppe.

Conduit par Moïse et les prophètes, le peuple hébreu comprit que Dieu lui proposait une alliance indéfectible. En faisant d'Israël son partenaire, Dieu entrait délibérément dans l'histoire des hommes. Par là, il choisissait de lier son sort à celui de ses créatures, pour le meilleur et pour le pire. Le peuple élu devenait le témoin — authentique bien que souvent infidèle — du Dieu unique parmi les nations.

Quand les temps furent accomplis, le choix de Dieu prit corps en un homme particulier, Jésus de Nazareth, tout en s'ouvrant grâce à lui à l'humanité entière. Cet homme entretenait avec Dieu une relation si étroite que ses disciples franchirent un pas considéré jusque-là comme inconcevable. Jésus n'était ni un prophète ni un témoin comme les autres. En lui, Dieu lui-même se rendait présent sur terre; cette fois, Dieu se faisait réellement homme en revêtant notre condition.

Voilà qui bouleverse l'image de Dieu issue de l'ancienne tradition juive. Désormais, c'est un homme qui, par sa manière d'être autant que par sa parole, nous révèle le visage du Dieu vivant. Son humanité devient la voie d'accès privilégiée à un Père débordant de tendresse, partageant le destin des plus pauvres et souffrant avec ses enfants accablés. La vie, la passion et la mort de Jésus manifestent Dieu dans sa relation au monde et tel qu'il est en lui-même : non pas un monarque implacable régnant sur une cohorte d'esclaves, mais un berger partant inlassablement à la recherche de la brebis égarée. L'humanité de Dieu n'est plus une simple figure de style. Elle désigne le nouveau mode de présence au monde que Dieu a instauré au terme de son Alliance avec le peuple élu.

Or cette Alliance nouvelle et définitive n'est pas moins exigeante que la première pour son partenaire humain. Devant le spectacle de la folie destructrice des hommes — source de guerres, de désastres écologiques et d'oppressions de toutes sortes —, nombre de nos contemporains ont du mal à discerner dans l'humanité de Dieu les traits d'un Père aimant et miséricordieux. Pour les mêmes raisons, ils s'interrogent sur le privilège inouï que l'Écriture attribue à l'homme, « créé à l'image et à la ressemblance de Dieu ». Les aléas de l'histoire humaine ne risquent-ils pas de brouiller gravement la bonne nouvelle proclamée jadis par les anges de Bethléem? En tant que disciples de Jésus, nous devons nous demander si deux millénaires d'histoire chrétienne ont réussi à lever la terrible hypothèque que les errements de l'espèce humaine font peser sur l'image de Dieu.

La fête de la Nativité nous invite à prendre en compte l'intégralité et la cohérence du message biblique, Ancien et Nouveau Testaments. Seul « répondant » de Dieu, l'homme n'en demeure pas moins une créature fragile et faillible, incapable de se sauver elle-même. Sa liberté blessée l'expose à démultiplier le mal dans des proportions effrayantes. La prééminence de l'homme au sommet de la création est donc de l'ordre d'une vocation et non d'une rente de situation, une tâche en même temps qu'un don. L'expérience montre, hélas! qu'il y a en nous une malheureuse propension à nous dérober à l'appel de Dieu. À la suite des grandes figures de la Bible hébraïque, Jésus renverse cette tendance, puisqu'il accomplit à la perfection le projet du Créateur. Tout en assumant notre précarité, il restitue dans son éclat originel l'humanité défigurée par le péché.

Ce que la théologie appelle l'« incarnation » de Dieu, autrement dit sa venue dans notre chair, n'est rien d'autre que la vocation de l'homme voulue par Dieu et réalisée ici-bas par Jésus de Nazareth. À ce titre, il mérite le beau titre de « premier-né de toute création ». En naissant comme enfant de pauvres, Dieu entend faire renaître ses créatures, si méprisées ou abîmées soient-elles.

Chrétiens, Dieu nous a fait renaître le jour de notre baptême, si bien que Noël est pour nous tous la fête annuelle de nos engagements personnels et ecclésiaux. Témoins du Christ, nous le sommes en vertu de la célébration baptismale, mais que vaut notre témoignage vécu? Puisque nous nous réclamons d'un Dieu qui s'est fait homme, une double responsabilité nous incombe : à l'égard de la bonté et de la sainteté de Dieu, mais aussi à l'égard de la dignité inhérente à chaque être humain. Un tel défi paraîtrait totalement irréaliste si, précisément, Jésus ne nous avait ouvert un chemin praticable : celui du don de soi dans l'humble service. Il dépend aussi de nous, ici et maintenant, que la venue de Dieu sur terre en la personne d'un nouveau-né couché dans une mangeoire inspire au plus grand nombre possible d'hommes des pensées de partage et de paix.

Trop humain?

Les écrivains sacrés de l'Ancien et du Nouveau Testament rendent témoignage au Dieu « tout autre », qui échappe à nos prises et excède toutes nos représentations. Il ne se confond ni avec la création, ni avec l'idée que les hommes se font de la divinité. Pourtant, il est difficile de nier les traits manifestement humains de ce Dieu qui parle, agit, compatit, pardonne, s'attriste et se réjouit comme nous avons coutume de le faire.

Cela tient tout d'abord au fait que ce sont des hommes — les prophètes, les scribes, les sages, les apôtres — qui s'expriment dans l'Écriture sainte. Éclairés par l'Esprit de Dieu, ces personnages n'en demeurent pas moins des êtres de chair et de sang qui s'inscrivent dans une culture donnée, se servent d'une langue particulière et pratiquent tel ou tel genre littéraire. Ils nous communiquent un message divin à travers des langages d'hommes historiquement situés. Il n'est donc pas étonnant que les auteurs bibliques attribuent à Dieu des qualités, des émotions, des conduites et des images empruntées à leur expérience de la vie. Ils évoquent couramment la bonté, la patience, la colère ou la jalousie de Dieu. Encore faut-il noter qu'ils évitent soigneusement de dépeindre un Dieu égoïste, jouisseur ou sadique. Les dispositions humaines qu'ils prêtent à Dieu décrivent sa relation à Israël et au monde — relation faite de générosité créative, d'amour fidèle et de miséricorde. Jamais le mystère insondable du Dieu vivant et saint n'est ravalé au niveau de la créature empêtrée dans la médiocrité ou le péché. L'anthropomorphisme biblique a ceci de particulier qu'il ne porte jamais atteinte à la transcendance de Dieu.

Par ailleurs, le caractère humain du Dieu de la Bible est lié à la place centrale que l'Écriture assigne à l'homme et au peuple élu. Certes, de nombreux passages évoquent les splendeurs de l'univers, les puissances cosmiques ainsi que l'opulente diversité de la faune et de la flore terrestres. Mais toutes ces merveilles servent de décor à l'histoire du salut qui se joue entre Dieu et les hommes. De toute évidence, la Révélation biblique est centrée sur Israël et, à terme, sur la famille humaine dans son ensemble.

À ce visage doublement humain de Dieu, le mystère de Noël ajoute un trait décisif, proprement chrétien. En la personne de son Fils, Dieu s'est lui-même fait homme parmi les hommes. Le Dieu éternel et infini s'est immergé dans le devenir de ce monde. Dès lors, le destin de Dieu se trouve si indissolublement lié à celui de l'humanité qu'une lecture superficielle des évangiles peut nous exposer à imaginer un Dieu trop humain. Le chrétien ne court-il pas le risque de remettre en cause la rigoureuse distinction entre Créateur et créature que la Bible ne cesse de souligner? Un Dieu trop exclusivement centré sur l'homme ne conduit-il pas le croyant à négliger le reste de la création, ce « jardin » confié à sa responsabilité? Nous devons en outre nous demander si notre image de Dieu ne souffre pas de l'ambivalence foncière qui caractérise l'homme, capable du pire comme du meilleur. À force de nous convaincre de la « venue dans la chair » du Verbe de Dieu, nous pourrions être tentés de dépouiller Dieu de ce qui n'appartient qu'à lui, à savoir ses qualités de Créateur et de Sauveur.

Avec une tradition deux fois millénaire, les fêtes de la Nativité et de l'Épiphanie nous permettent de répondre à ces interrogations. Non, l'humanité de Dieu ne menace pas la pureté de son visage divin. Au contraire : elle conteste et corrige les représentations philosophiques de Dieu qui ont durablement pesé sur la catéchèse chrétienne. Le Dieu d'Abraham, de Moïse, des prophètes et de Jésus n'est pas cet Esprit immuable, impassible et tout-puissant conçu par Platon et Aristote avant d'être « naturalisé » en terre chrétienne par la métaphysique occidentale. Il est le berger d'Israël et le père de tous les hommes, compatissant et fidèle. S'il est vrai qu'il descend vers l'homme, c'est pour élever celui-ci jusqu'à lui : « Dieu devient homme pour que l'homme devienne Dieu » (Athanase d'Alexandrie).

L'homme est appelé à entraîner dans ce mouvement ascendant la création dont la gérance lui incombe. En se faisant homme, Dieu nous tend la main pour nous redresser. Il nous offre une espérance plus forte que toutes les assurances humaines : son amour indéfectible. Celui-ci a un visage et un nom, Jésus, « Dieu sauve », frère de tous les humiliés de la terre, lumière dans nos ténèbres, Dieu avec nous. La fête de Noël atteste la profonde vérité de ce mot de saint Augustin : « Dieu s'est fait homme afin que, marchant à la suite d'un homme — ce que nous pouvons —, nous arrivions jusqu'à Dieu — ce que nous ne pouvions pas. »

Une fête « positive »

Selon le tempérament, l'âge, l'éducation et la formation reçues, nous portons sur le monde des jugements d'ensemble fort différents. Pour les uns, tout est rose; pour d'autres, tout est noir. Pour d'autres encore, peut-être les plus nombreux, tout est plutôt gris, c'est-à-dire ambigu et incertain. Ce sont là des impressions générales qui relèvent de nos désirs ou de nos fantasmes et non d'une observation attentive du réel. Il est d'ailleurs bien connu que chacun de nous est le pessimiste ou l'optimiste de quelqu'un d'autre, ce qui revient à renvoyer dos à dos ces deux familles d'esprits en concédant à chacune sa part de vérité.

Mais il existe un autre clivage, plus fondamental et plus significatif. On distingue des personnalités positives et des personnalités négatives, aussi réalistes les unes que les autres, mais qui envisagent les gens et les choses sous des angles apparemment opposés. Face à la complexité des problèmes et des situations, la personnalité positive met tout en œuvre pour améliorer ce qui peut l'être, alors que la personnalité négative prend le parti de jeter systématiquement le discrédit sur ce que d'autres réalisent ou projettent de réaliser.

Si elle est bien informée, la vigilance critique s'avère très utile dans les domaines les plus divers. Le courage de dire « non » est souvent la marque d'une intelligence aiguë et d'un caractère bien trempé. Faut-il rappeler que la plupart des grandes inventions sont dues au fait que des esprits particulièrement perspicaces ont pris le contre-pied des opinions dominantes? On peut cependant estimer que notre époque manque surtout de personnalités positives. On voit bien ce qui alimente aujourd'hui, et pour de bonnes raisons, l'inquiétude et le désarroi de nos contemporains : les déséquilibres économiques, l'instabilité politique et sociale en de nombreux pays et la dégradation de l'environnement. Mais n'est-ce pas, précisément, cet état du monde qui appelle l'humanité à un sursaut sans précédent? Le défi multiforme qui est devant nous exige la mobilisation de toutes les énergies disponibles — intellectuelles et techniques, certes, mais aussi et avant tout morales et spirituelles.

Les chrétiens seraient inexcusables de ne pas s'engager sur ce vaste chantier. Le Dieu en qui ils croient est la force positive par excellence, celle qui crée l'univers et dote les vivants d'un dynamisme prodigieux. Par sa venue dans le monde, en se faisant l'un de nous, Dieu confirme et anoblit sa création tout en accomplissant l'Alliance conclue avec le peuple de la promesse. Alors que tant d'hommes désespèrent d'eux-mêmes et de leurs semblables, Dieu nous fait confiance.

Célébrer dans la joie la Nativité du Sauveur, c'est affirmer à la face du monde que la création a droit à une gérance responsable de la part de l'homme, que les êtres vivants ont droit à une existence décente, que tout homme, quelles que soient son origine et sa situation sociale, a droit à un minimum de justice et de solidarité.

Parce que Jésus est né chez les pauvres, parce qu'il a mené une vie de labeur, d'union à Dieu et d'amour fraternel, ses disciples se doivent de partager, en paroles et en actes, sa vision positive du monde. Nous sommes appelés, non à tout approuver sans discernement, mais à construire ensemble une société et une Église placées sous le signe de la vie, de l'avenir, de la compassion et de l'espérance. Que l'injustice et la violence ravagent la planète, c'est un bien triste spectacle. À nous de les combattre avec les armes de l'enfant de Bethléem! Noël n'est pas une bouffée d'optimisme passager, mais une fête éminemment dynamique, dont la grâce agira dans la durée si nous le voulons aujourd'hui et demain.

Lorsque Luc et Matthieu racontent la naissance de Jésus, ils entendent rendre compte d'une réalité qui s'inscrit certes dans l'histoire, mais dont la portée n'est pleinement accessible qu'à la foi. Les éléments merveilleux qui émaillent les « évangiles de l'enfance » expriment poétiquement la force d'un événement qui manifestera sa fécondité dans les faits et gestes de Jésus de Nazareth, ainsi que dans le rayonnement du christianisme tout au long de l'histoire des hommes. Cette force est à l'œuvre aujourd'hui, dans les Églises et en dehors d'elles. La bonne nouvelle de la venue de Dieu est un feu dont Jésus souhaitait qu'il embrasât le monde. Cet incendie est celui des esprits et des cœurs; il se nourrit du labeur et de l'espérance des pauvres.

Dieu différent

L'engouement populaire pour la fête de Noël revêt aujourd'hui une telle ampleur qu'il est de plus en plus difficile d'en discerner la source chrétienne. Nous sommes en présence d'une trêve sociale et familiale qui favorise, comme nulle autre date de calendrier, les retrouvailles entre proches et amis ainsi que les échanges de vœux et de cadeaux. Fête de la lumière, des enfants, de la bonté : Noël est devenu un peu tout cela — où l'on retrouve, enfoui et sécularisé, l'écho du message biblique et liturgique de la Nativité du Seigneur. Les « fêtes de fin d'année » appartiennent désormais à tout le monde. Autrement dit à une société qui, même dans les pays de vieille chrétienté, a largement oublié ses anciens repères religieux.

Raison de plus pour que les chrétiens prennent une conscience plus vive de la bonne nouvelle qui leur est confiée depuis 2000 ans. Seules, en effet, les Églises chrétiennes célèbrent la naissance du Fils de Dieu au cœur de notre histoire. Hindous, bouddhistes, agnostiques et athées ignorent ou récusent une telle croyance; juifs et musulmans adorent un Dieu qui ne s'est pas fait homme. Le mystère et le mémorial de la Nativité distinguent le christianisme de toutes les autres traditions spirituelles. Autant dire que les disciples de Jésus sont appelés à témoigner parmi les hommes d'un visage de Dieu puissamment original. Demandons-nous ce qu'implique un tel témoignage.

Cela signifie d'abord qu'aux yeux des chrétiens l'Alliance conclue jadis par Dieu avec Israël a connu, « au temps de Tibère César », un accomplissement à la fois annoncé et inattendu. Dieu ne s'est pas contenté de choisir un peuple, de l'éduquer et de le guider. Il a lui-même épousé notre condition terrestre, assumant jusqu'au supplice de la croix le sort d'une créature humiliée et rejetée. Est-ce bien ce Dieu-là que nous confessons? Si oui, nos pratiques et nos mentalités portent-elles réellement la marque du Serviteur de Dieu que les premiers chrétiens ont identifié à Jésus de Nazareth? Partenaires de Dieu, frères et sœurs de Jésus, temples du Saint-Esprit, nous sommes envoyés dans le monde pour rendre un vivant témoignage à un Dieu profondément différent des autres images divines attestées par l'histoire des religions.

À Bethléem, c'est sous les traits d'un nourrisson, dans le dénuement le plus extrême, que Dieu s'est manifesté dans notre chair. Il vient chez nous démuni et vulnérable, pauvre parmi les pauvres. Ainsi, ceux qui l'accueillent acceptent d'être ses témoins et ses ambassadeurs, responsables de son visage humain tout au long des siècles. À leur tour, ils vont vers les autres, non comme des privilégiés bardés de condescendance, mais comme des serviteurs qui s'en remettent à la seule force de l'amour.

La bonne nouvelle que nous avons reçue signale encore une autre « différence » de Dieu. Alors que nous pouvons être tentés de désespérer des hommes, Dieu, lui, fait confiance à la créature qu'il a façonnée à son image. Pourtant, en ce début de siècle et de millénaire, l'injustice, la fraude et la violence sont partout. Les hommes semblent décidément incapables de vivre ensemble dans la concorde et la solidarité. C'est dans ce monde que Dieu demande à naître aujourd'hui. Sa Nativité sans cesse recommencée proclame l'éminente dignité de tout homme, avec une préférence marquée pour les petits et les exclus. L'âne et le bœuf de nos crèches nous invitent à associer le monde animal au genre humain, objets tous deux de l'inaltérable bienveillance du Créateur. Le Dieu qui s'est fait homme en Jésus de Nazareth n'a rien à voir avec un Moloch sanguinaire assoiffé de sacrifices. Il aime la vie et il a confié à l'homme la protection de tous les vivants.

Loin des flonflons de nos réveillons d'enfants gâtés, Dieu s'adresse, en cette fête de Noël, à tous les hommes de bonne volonté. Mais il est bien différent des « pères Noël » qui envahissent nos rues et nos rêves. Il nous offre le plus merveilleux cadeau qui soit : lui-même, que nous accueillons comme son Fils bien-aimé, notre frère aîné. C'est peut-être sa discrétion qui nous irrite. Il nous arrive en effet de souhaiter un chef de file plus prestigieux et plus spectaculaire. N'avons-nous pas besoin d'un libérateur qui propose le moyen de supprimer pour de bon, dans leurs racines, la misère, la souffrance et l'injustice? Et si la force s'avère seule capable d'opérer les indispensables réformes de structures, ne faudrait-il pas y recourir puisque les pauvres subissent en permanence la violence des possédants? Jésus de Nazareth s'inscrit en faux contre ce genre de tentations. Son chemin, fécond à force d'exigence, s'inspire de cet unique précepte : « Tu aimeras le Seigneur ton Dieu; tu aimeras ton prochain comme toi-même. »

Dialoguer dans la clarté

En ce début de millénaire, le « dialogue interreligieux » est à l'ordre du jour. Au sein de chacune des grandes familles spirituelles, des voix s'élèvent pour récuser l'intolérance et promouvoir une émulation faite de respect et d'échanges mutuels. Pour les chrétiens, il s'agit avant tout d'acquérir une meilleure connaissance du judaïsme et de l'islam. Au lieu de porter sur ces traditions des jugements préconçus et mal informés, nous sommes invités à recueillir loyalement le témoignage des croyants juifs et musulmans que nous pouvons rencontrer. Catholiques, nous répondons par là au vœu formulé en 1965 par le concile Vatican II dans sa *Déclaration sur les relations de l'Église avec les religions non chrétiennes*. On lit par exemple dans ce document : « L'Église catholique exhorte ses membres pour que, avec prudence et charité, par le dialogue et la collaboration avec les fidèles d'autres religions, et tout en témoignant de la foi et de la vie chrétiennes, ils reconnaissent, préservent et fassent progresser les valeurs spirituelles, morales et culturelles qui se trouvent en eux » (n° 2).

Or l'expérience montre que le chemin ainsi balisé est semé d'embûches. Certains conçoivent la rencontre des religions comme une sorte de libre-service où chacun choisirait à sa guise les ingrédients d'une doctrine et d'une éthique taillées sur mesure. Une telle démarche, connue sous le nom de syncrétisme, méconnaît la règle cardinale d'un dialogue digne de ce nom, à savoir le respect de la cohérence propre à chaque spiritualité vivante. Une autre dérive consisterait à se méprendre sur le sens que le mot « religion » revêt dans les diverses traditions qui entrent en contact les unes avec les autres. C'est ainsi que la distinction entre le temporel et le spirituel, familière aux chrétiens, s'interprète autrement dans le judaïsme et demeure pratiquement inconnue du monde musulman, où culture, vie sociale et politique se mêlent intimement aux croyances religieuses. Quant au bouddhisme, sagesse sans référence à un Dieu personnel, il entend permettre à l'homme de sortir du cycle des naissances et des morts pour atteindre le nirvana, échappant ainsi aux contraintes du monde visible.

Sous prétexte de réserver un accueil sympathique à d'autres courants spirituels, il arrive aussi que des chrétiens négligent ou occultent leur vocation missionnaire. Si toutes les religions peuvent conduire au salut, à quoi bon demander aux non-chrétiens d'adhérer à l'Évangile et de recevoir le baptême? Il est certain qu'un sérieux effort de réflexion s'impose pour articuler entre eux dynamisme missionnaire et dialogue interreligieux. Il importe tout autant de situer à frais nouveaux l'entreprise œcuménique, intérieure au christianisme, par rapport au débat avec les autres religions. Il ne faudrait pas que ce dernier apparaisse comme une fuite en avant face aux difficultés persistantes de l'œcuménisme chrétien.

Ces précautions prises, force est de prendre acte des exigences spécifiques qui s'attachent au dialogue avec des univers religieux que le chrétien n'habite pas. Avec la tradition juive, nous partageons un patrimoine irremplaçable : la révélation prophétique, la foi en Dieu créateur et sauveur, la réception du décalogue et les lignes maîtresses d'une éthique personnelle et sociale. Pour autant, nous n'avons pas à faire nôtres des thèses qui insisteraient à ce point sur les racines juives du christianisme que l'originalité de l'Évangile s'en trouverait obscurcie sinon niée. Les musulmans, quant à eux, sont évidemment libres d'interpréter à leur manière les passages de la Bible qu'ils invoquent pour légitimer la révélation coranique : cette lecture de l'Écriture n'est pas la nôtre.

Dans son émouvante simplicité, le message de Noël nous engage à dialoguer dans la clarté avec ceux qui ne partagent pas notre foi, à commencer par les représentants actuels de la tradition juive.

À nos yeux, Jésus de Nazareth est plus qu'un prophète parmi d'autres. Nous croyons qu'en sa personne le Dieu vivant et unique est venu dans notre monde pour faire porter son fruit ultime à l'Alliance conclue avec Israël. Voilà pourquoi les disciples de Jésus gagnent à méditer la Bible juive, dont s'est jadis nourri leur maître, mais aussi à se familiariser avec les trésors du judaïsme rabbinique, deux fois millénaire comme le christianisme. La fête de la Nativité nous rappelle que Dieu ne s'est fait ni temple, ni texte, ni système religieux. Il s'est fait homme. Homme pleinement juif qui, en vertu même de la vocation d'Israël, interpelle les hommes de tous les temps et de tous les peuples.

C'est un juif, Paul de Tarse, ancien pharisien, qui a d'emblée saisi la prodigieuse nouveauté de cet événement. Il a compris qu'à vouloir enfermer la bonne nouvelle du Fils de Dieu fait homme dans le carcan d'une religion ethnique, l'Église naissante allait étouffer le germe libérateur qui lui était confié. Hélas! le monde chrétien tourna souvent le dos à sa vocation originelle. Il ne tarda pas à s'inscrire à son tour dans une funeste compétition, dressant les religions établies les unes contre les autres. En s'alliant aux puissants du moment, les Églises devinrent dominatrices et fréquemment intolérantes, alors que leur raison d'être les destinait à témoigner, par un amour sans exclusive, d'un Dieu de compassion et de miséricorde.

En dépit de ce contentieux qui doit nous inciter à l'humilité, le mot de l'apôtre des nations garde aujourd'hui toute son actualité : « Il n'y a plus ni Juif ni Grec, ni esclave ni homme libre, il n'y a plus l'homme et la femme, car tous, vous n'êtes plus qu'un en Jésus Christ » (Ga 3, 28). Il nous appartient, non d'annexer qui que ce soit, mais de traduire en actes, pour notre part, ce message de fraternité universelle.

L'enfant-Dieu

Deux de nos quatre évangiles comportent une section appelée « évangile de l'enfance ». Les deux premiers chapitres des évangiles de Matthieu et de Luc rapportent les circonstances qui ont précédé, entouré et suivi la naissance de Jésus à Bethléem. En réalité, ces deux récits exposent, en remontant aux origines, la bonne nouvelle que proclament tous les auteurs du Nouveau Testament, à savoir la venue dans notre chair du propre Fils de Dieu. Matthieu et Luc, qui recueillent deux courants différents de la tradition orale, montrent comment cette bonne nouvelle est perceptible dès les débuts de la vie terrestre du Sauveur.

L'institution de la fête de la Nativité au 4e siècle obéit à la même logique. Année après année, les chrétiens célèbrent l'enracinement de leur foi dans l'histoire et la condition humaines. En Jésus de Nazareth, Dieu s'est d'abord fait nourrisson et petit enfant. Pour l'essentiel, les évangiles de l'enfance ne disent rien d'autre.

C'est à partir de sa trentième année que Jésus se mettra à parcourir la Palestine en annonçant, par sa parole et par ses actes, l'avènement du règne de Dieu. À défaut d'informations fiables sur l'enfance de Jésus, certains croyants des premiers siècles n'ont pas hésité à inventer de toutes pièces des anecdotes merveilleuses. Les évangiles « apocryphes », non retenus parmi les écrits inspirés, mettent en scène un enfant multipliant les prodiges les plus incroyables et tenant des propos tout bonnement improbables. On n'en apprécie que davantage la sobriété des récits évangéliques ainsi que la concision du Credo ecclésial proclamant Jésus Christ « vrai Dieu et vrai homme ». Or un « vrai homme » passe par les divers âges de la vie en partageant les promesses et les fragilités propres à chacun d'eux. Nous avons toutes les raisons de supposer que Jésus fut un jeune garçon semblable aux autres, dépendant de son entourage, s'ouvrant progressivement au monde et à la société des hommes. Le peuple juif ne considérait pas l'enfance comme un symbole de pureté ou d'innocence, et l'infantilisme spirituel est totalement étranger à la Bible.

Lorsque Jésus, adulte, parle des enfants, c'est pour inviter ses auditeurs à leur ressembler en changeant radicalement de mentalité. À ses disciples empêtrés dans des querelles de préséance, il déclare : « Si vous ne changez pas pour devenir comme des enfants, nous n'entrerez pas dans le royaume des cieux. Le plus grand dans le royaume des cieux est celui qui s'abaisse et devient comme un enfant » (Mt 18, 3-4). Il ne s'agit donc pas, pour l'adulte, de singer l'enfant, mais — bien au contraire — de mettre en œuvre en tant qu'adulte les qualités que l'enfant possède à l'état natif : la spontanéité, la capacité d'émerveillement, l'absence de prétention et d'hypocrisie sociale. À sa manière, l'apôtre Paul explicite la parole de Jésus quand il écrit : « Pour le jugement, ne soyez pas des enfants. Pour le mal, oui, soyez comme de petits enfants, mais pour le jugement, comportez-vous en adultes » (1 Co 14, 20).

L'esprit d'enfance ainsi compris, Jésus l'a incarné jusqu'à la fin de sa vie. Devant Dieu, il s'est voulu un fils aimant, fidèle et librement obéissant. Devant les hommes, il s'est présenté, non comme celui qui se fait servir, mais comme un frère doux et humble de cœur qui offre sa vie pour ses semblables. Il a aimé Dieu et les hommes avec la sincérité et désintéressement d'un enfant. Son exemple et son message ont traversé les siècles, comme en témoigne, à l'époque contemporaine, la spiritualité de Thérèse de Lisieux.

L'une des explications de l'extraordinaire rayonnement de la fête de Noël à travers le monde est sans doute à chercher dans la grâce de l'enfance associée à cette fête. Il ne faudrait pas que les multiples et honteuses agressions contre l'enfant (malnutrition, mutilations, exploitation, prostitution, pédophilie) nous rendent insensibles à ce don incomparable du Créateur que sont le regard, le sourire et l'affection d'un enfant.

Alors que l'adolescence subit de plein fouet les bourrasques de l'évolution sociale et que les adultes s'épuisent à (re)définir leur identité d'hommes et de femmes, la grâce de l'enfance continue de briller dans notre grisaille, tel un phare d'espérance et de fraternité. Dieu nous parle par les enfants que l'amour de leurs parents incorpore à la famille humaine. Dieu se fait enfant pour nous révéler ce que nous sommes tous, sans réserve ni exception : les enfants du même Père. C'est un truisme de dire que les enfants d'aujourd'hui feront l'humanité de demain. Mais il faut beaucoup d'audace et d'humilité pour faire en sorte que le monde de demain soit à la hauteur des attentes légitimes des enfants d'aujourd'hui.

Noël de rupture

Le 11 septembre 2001, le monde occidental découvrait brutalement que la guerre ne ravageait pas seulement des contrées lointaines, mais qu'elle pouvait faire irruption, sans crier gare, au cœur de nos cités et de nos centres de pouvoir. Faut-il, en cette circonstance, parler de guerre? Les instigateurs présumés du crime l'ont fait pour s'en glorifier, et ceux qui ont, d'instinct, pris le parti des victimes ont utilisé le même vocabulaire. Force est pourtant de constater que, ce jour-là, la guerre changeait de forme et de visage. Ce n'était plus l'affaire de deux ou plusieurs États entrant en conflit les uns avec les autres dans le respect de certaines conventions internationales. Désormais, la violence aveugle frappait n'importe où, sans déclaration préalable ni revendication d'aucune sorte, sur décision d'un « ennemi » invisible et potentiellement omniprésent. Des puissances économiques et militaires de premier plan pouvaient dès lors être défiées sur leur propre sol par une poignée de fanatiques suicidaires munis de couteaux et de téléphones portables.

Dans ce contexte inédit, la fête chrétienne de la Nativité du Sauveur méritait à nouveau l'appellation quelque peu dramatique de « Noël de guerre ». Certes, l'atmosphère n'était plus celle des Noëls d'angoisse que les Européens avaient vécus entre 1939 et 1944. Soixante ans plus tard, au terme d'un affrontement Est/Ouest enfin surmonté, voici que l'échiquier géopolitique subissait une nouvelle rupture évoquant le spectre de la guerre.

Cette fois, l'analyse de l'événement met au jour des ingrédients d'un nouveau type, dont l'interaction compose un mélange hautement explosif. Les observateurs mettent le doigt, d'un côté, sur le fossé socio-économique et culturel entre pays nantis et pays misérables. D'un autre côté, l'avenir de la planète est plus que jamais menacé par des évolutions que l'homme, censé les contrôler, aggrave au contraire dans la plus totale impunité : de Rio (1992) à Johannesburg (2002), les « sommets de la terre » n'ont guère permis à l'humanité de concilier les impératifs du développement avec les exigences de la justice sociale. Il n'est donc pas étonnant que des tensions de plus en plus vives opposent des minorités privilégiées, qui accaparent les fruits de la croissance, à la masse des populations qui en sont privées. Pour peu que des théoriciens habiles ou des guides inspirés réussissent à fédérer et à orchestrer ces frustrations accumulées, toutes les conditions sont réunies pour le déclenchement de coups de force inopinés qui, sous prétexte de châtier les coupables, foulent aux pieds les règles éthiques les plus élémentaires. Des sentiments religieux dévoyés confèrent à de telles entreprises une cruauté encore plus révoltante.

S'il n'offre évidemment pas de solutions toutes faites aux décideurs politiques et économiques, le message de Noël propose néanmoins aux hommes de bonne volonté des cheminements propres à désarmer cette folie meurtrière. La mondialisation en cours doit, sous peine de séismes sociaux de grande ampleur, s'accompagner d'un partage équitable des ressources disponibles et d'une nouvelle réglementation des échanges commerciaux, sanitaires et culturels. Les nations développées sont sommées de modifier leurs modes de production et de consommation, de respecter l'environnement et d'aider efficacement les pays pauvres. À nos yeux de chrétiens, qui croyons en un Dieu fait homme, nul peuple, nul parti, nul groupe religieux ne saurait s'attribuer le statut exclusif de défenseur de la cause de Dieu ou de la dignité de l'homme. Nul n'est qualifié pour prêcher quelque croisade que ce soit contre les « autres », qualifiés de mécréants ou d'infidèles. Les terroristes qui sèment la mort et le malheur au nom d'une mission prétendument divine ajoutent le blasphème au crime contre l'humanité. Ils doivent savoir que leur « guerre sainte » ne sera jamais la nôtre.

Pour savoir ce que Dieu nous dit au moyen de la naissance humaine de son Fils, il suffit de relire les évangiles. Obscur artisan, familier du petit peuple galiléen, entouré de travailleurs manuels, Jésus n'avait partie liée ni avec les possédants ni avec les autorités politiques ou religieuses de son temps. Il proclamait l'urgence d'un changement de mentalité et de conduite en ramenant la vocation de l'homme à ce double impératif : « Tu aimeras le Seigneur ton Dieu, tu aimeras ton prochain comme toi-même! » La haine de classe, la passion nationaliste et le recours à la violence n'avaient aucune place dans sa prédication.

C'est pourtant le même homme qui déclarait : « Ne croyez pas que je sois venu apporter la paix sur la terre; je ne suis pas venu apporter la paix, mais le glaive » (Mt 10, 34). La bonne nouvelle annoncée par Jésus incluait une prise de position comparable, en un sens, à une déclaration de guerre. Là où elle est accueillie, elle provoque des remises en cause, voire des divisions douloureuses. Il arrive en effet que certains d'entre nous préfèrent les faux-fuyants ou les compromissions à la lutte sans merci contre l'injustice, l'hypocrisie, le mépris d'autrui, l'oppression des plus faibles, la violence, le culte du veau d'or, la misère — bref, contre tout ce qui dégrade et avilit l'homme et la création. Si la fête d'aujourd'hui pouvait être un « Noël de rupture » en ce sens-là, les vœux et les cadeaux que nous échangeons à cette occasion seraient des signes parlants de la tendresse de Dieu pour le monde.

Le paradoxe chrétien

Chaque année, à l'approche de Noël, des voix s'élèvent pour dénoncer la « paganisation » de la fête chrétienne de la Nativité. Les « incroyants » auraient dénaturé ce temps fort de la foi pour en faire une autocélébration annuelle de la société de consommation. Qu'en est-il de la justesse d'un tel reproche? Non seulement les chrétiens sont partie prenante dans le rush commercial et gastronomique qui caractérise désormais les « fêtes de fin d'année », mais ils seraient bien avisés de s'interroger sur cette manière d'opposer croyants et incroyants.

Spontanément, nous qualifions d'incroyants ceux qui n'adhèrent pas à nos convictions, si bien qu'à l'inverse chacun de nous peut être perçu comme l'incroyant de celui dont il ne partage pas la croyance. L'histoire nous apprend que les groupes dominants ont toujours eu tendance à marginaliser les éléments minoritaires en les traitant de dissidents, de mécréants ou d'infidèles. Ceux qui se considèrent comme les vrais croyants ou les seuls détenteurs de la vérité rejettent tous les autres dans les ténèbres extérieures de l'erreur ou de l'ignorance. Aux yeux des chrétiens, quelque chose d'essentiel ferait défaut aux non-chrétiens, lesquels se trouvent ainsi définis par soustraction.

Or il suffit d'un minimum d'attention à autrui pour s'apercevoir que cette vision manichéenne ne correspond pas à la réalité. Dans chacun des deux camps, on rencontre des personnes qui tantôt disent : « Voici ce que je crois », et tantôt : « Voici ce que je ne crois pas. » Les chrétiens doivent se demander si l'incroyance qu'ils imputent à d'autres ne représente pas une part d'eux-mêmes qu'ils peinent à assumer dans le contexte de leur propre adhésion de foi. Cette dernière va-t-elle réellement de soi? Peut-elle être décrite comme cette démarche sereine, lisse, proche de l'évidence, que nous imaginons si volontiers? Corrélativement, est-il bien sûr que l'« incroyance » des autres consiste forcément en un refus ou un défaut?

En général, ceux de nos contemporains que nous disons (ou qui se disent eux-mêmes) incroyants n'éprouvent pas un tel manque. Leur vision du monde revêt plutôt un caractère positif, plein et tranquille. Ils s'en tiennent à leur expérience de la vie et aux certitudes, relatives et précaires, que la raison leur permet d'acquérir. C'est là une sorte de croyance naturelle, jugée honnête et suffisante par les intéressés, et qui n'appelle ni complément ni justificatif d'ordre religieux. La référence à des puissances extérieures au monde, loin de percer les énigmes de l'histoire et de l'univers, leur paraît au contraire les rendre encore plus impénétrables. Mieux vaut, pensent-ils, affronter l'existence telle qu'elle se présente, avec ses ombres et ses lumières, et œuvrer pour rendre la terre plus habitable.

Il n'est pas rare que ce réalisme s'accompagne d'une véritable allergie à l'égard des croyances chrétiennes : une indifférence massive plutôt qu'une hostilité déclarée. Il existe bel et bien une foi laïque ou séculière. Ceux qui s'en prévalent, agnostiques ou athées, n'ont pas le sentiment de dire « non », puisqu'ils disent « oui » à la vie et à l'idée qu'ils se font de la dignité de l'homme. L'éventail de ce en quoi ils mettent leur confiance est en fait largement ouvert et très diversifié : la nature (au sens à la fois écologique et diététique), l'économie, l'organisation de la société, la réussite et le confort de l'individu, la justice, la tolérance, la solidarité, les bienfaits de la science et de la technique, une vulgate édulcorée du bouddhisme, la réincarnation, etc. Même si certaines de ces valeurs sont d'origine biblique ou évangélique, les disciples du Christ se retrouvent de plus en plus en situation d'« incroyance » par rapport aux mentalités aujourd'hui dominantes et aux conformismes qu'elles engendrent.

Cet étonnant paradoxe ne devrait pourtant pas nous surprendre. L'apôtre Paul ne considérait-il pas que l'annonce d'un Messie crucifié était un scandale pour les juifs et une folie pour les païens? Nous savons par ailleurs que les premiers chrétiens se virent reprocher leur « athéisme », tant leur foi et leur mode de vie prenaient le contrepied des croyances alors en vogue dans le monde gréco-romain. Voici donc que nous devons, à frais nouveaux, apprendre à dire « non ». Non au déterminisme biologique, astral ou social, à la tyrannie de l'argent-roi, au grégarisme médiatique et à l'idolâtrie de l'efficacité à tout prix. Non à l'exploitation du tiers-monde, au saccage de l'environnement et des ressources naturelles, à un ordre économique mondial qui dépouille les pauvres en enrichissant les nantis, aux régimes oppressifs et aux contrefaçons de la démocratie. Non aux violations des droits de l'homme, à la fatalité de la violence et au massacre des innocents. Dans la mesure où il récuse et combat ces dérives parmi bien d'autres, le chrétien devra accepter d'apparaître comme un « incroyant » provocateur ou subversif, dans le sillage des prophètes d'Israël et de Jésus de Nazareth.

Le Dieu qui s'est fait homme il y a 2000 ans fonde et nourrit ce paradoxe-là. Humble, vulnérable, librement dépendant de l'homme, il souffre de nos peines et se fait le serviteur de ses créatures. L'enfant né à Bethléem engagera une lutte sans merci contre l'injustice, l'hypocrisie, les maladies et le malheur des hommes. Il prendra le parti des opprimés et des perdants. Loin d'éviter la passion et la mort, il les affrontera dans la solitude et la confiance en Dieu.

La fête de Noël ne renvoie pas dos à dos les hommes réputés croyants et les hommes réputés incroyants. Elle fait (re)découvrir aux uns et aux autres la force pacifique de l'amour, y compris là où sa source est méconnue.

2

Pâques Chemin de Libération

LE PEUPLE ÉLU ATTRIBUE SON ORIGINE À L'INTERVENTION divine qui, à l'époque de Moïse, arracha ses ancêtres à l'oppression du pharaon d'Égypte. Cette « sortie » du pays de servitude, appelée exode, fut vécue et célébrée par les Hébreux comme une libération décisive. La Pâque juive la commémore d'année en année, car le peuple y voit le témoignage toujours actuel de l'indéfectible fidélité du Dieu d'Israël.

La Pâque chrétienne célèbre le mémorial du nouvel exode que constitue la mort-résurrection de Jésus de Nazareth. Libération qui fait « passer » (c'est le sens du mot hébreu désignant la Pâque) les disciples de Jésus du sentiment religieux à la foi, du péché au pardon et — en espérance — de la mort à la vie. Ce passage suppose une conversion tant individuelle que collective, car nul n'est à soi-même son propre sauveur.

Dès les origines de l'Église, le lendemain du sabbat, premier jour de la semaine juive, fut considéré comme une fête de la résurrection du Sauveur, une sorte de

Pâque hebdomadaire. Au 2e siècle, on adopta le rythme annuel, et cela sous la forme d'une période festive de sept semaines, le temps pascal. Le dimanche inaugural n'en conserva pas moins sa prééminence, devenant la plus ancienne et la plus vénérable des fêtes chrétiennes. Le concile de Nicée (325) en fixa la date au dimanche après la pleine lune qui suit l'équinoxe de printemps (21 mars), donc — selon le calendrier grégorien — entre le 22 mars et le 25 avril. Les Orientaux optèrent pour des dates légèrement décalées du fait que, restés fidèles au calendrier julien, ils placent l'équinoxe au 25 mars.

Comme la Pâque juive, le mémorial chrétien de la résurrection du Christ est une fête de printemps. Le message de la libération pascale nous est proposé alors que la nature elle-même passe, en quelque sorte, de la mort à la vie. C'est le temps des floraisons, de la montée des sèves et des premiers bourgeons. Le printemps recèle en germe de nouvelles récoltes : promesses qui devront, certes, affronter les chaleurs et les orages de l'été, mais qui représentent d'ores et déjà les prémices d'une magnifique moisson. Selon le mot de l'apôtre Paul, la création tout entière attend sa délivrance.

Quelle libération?

Il n'y a pas si longtemps, la fête de Pâques évoquait essentiellement dans l'esprit des fidèles le triomphe d'un homme, Jésus de Nazareth, sur les puissances de la mort. Mort et enterré, cet homme était censé avoir déserté sa tombe le troisième jour, à la grande joie de ses amis. Sa victoire éclatante était considérée comme l'aurore et le gage de la nôtre. Grâce au Christ désormais vivant en Dieu, nous étions assurés d'échapper nous-mêmes à l'anéantissement de notre être.

Pourquoi une telle représentation se heurte-t-elle aujourd'hui à l'indifférence croissante de nos contemporains? Principalement, semble-t-il, pour deux raisons. D'une part, une certaine annonce de la résurrection (souvent confondue, d'ailleurs, avec l'immortalité de l'âme) tend à faire bon marché de la rupture douloureuse causée par la mort. Or le propre du vivant n'est-il pas d'être irrémédiablement voué à la mort? La grandeur de l'homme consiste à accepter sa précarité au lieu de chercher à s'y dérober au nom d'un au-delà imaginaire. D'autre part, une évasion dans la survie apparaît à beaucoup comme un alibi infantile face aux tâches qui nous sollicitent ici-bas. Si nous devons attendre l'avènement d'un monde nouveau pour que nos conflits soient résolus, si l'éphémère condition terrestre n'est qu'un prélude à la vie éternelle — alors, à quoi bon travailler et lutter?

Voilà quelques-unes des réflexions qui conduisent bon nombre de chrétiens à voir dans la Pâque de Jésus et de l'Église un vaste processus de libération plutôt qu'une simple promesse d'abolition de la mort individuelle. Rappelons d'un mot que l'idée d'une libération pascale plonge ses racines dans l'histoire biblique. L'exode des Hébreux hors d'Égypte était perçu par Israël comme une marche libératrice d'ordre non seulement spirituel, mais ethnique, social et politique. Chaque année, la Pâque juive commémorait ce passage de l'esclavage à la liberté. Or le peuple élu attribuait la sortie d'Égypte à la fidélité et à la puissance du Dieu de l'Alliance, qui n'était autre que le Dieu des pères, Abraham, Isaac et Jacob. C'est sur l'ordre de Yahvé que Moïse avait entraîné le peuple vers la terre promise.

La Pâque chrétienne se présente à bien des égards comme un nouvel exode. À la suite de Jésus mort et ressuscité, Dieu veut faire sortir les hommes du pays de la servitude — c'est-à-dire de l'aliénation et de l'idolâtrie — pour les conduire vers une terre où prévaudront l'adoration du vrai Dieu, la liberté et la justice. Moyennant l'obéissance de la foi, le disciple de Jésus est appelé à sortir de sa prison en vue d'aimer authentiquement Dieu et son prochain. La souffrance et la mort sont comme l'envers de ce passage. Elles signifient que c'est Dieu, et non des instances humaines, toutes périssables, qui nous délivre de nos limites. Cette vision renouvelée du mystère pascal permet d'interpréter à la lumière de l'Évangile les multiples initiatives qui, à travers le monde, œuvrent pour la libération des opprimés, libération sociale, économique, culturelle, idéologique. C'est sur tous ces plans que les chrétiens sont conviés à coopérer avec ceux qui refusent les régimes despotiques, les discriminations arbitraires et les contraintes injustes. Les théologies latino-américaines de la libération ont abondamment démontré la fécondité de cette intuition.

Pourtant, l'Évangile nous met également en garde contre les ambiguïtés que peuvent véhiculer le thème et les langages de la libération. Nous devons nous garder d'utiliser le discours chrétien, et singulièrement le message de Pâques, pour cautionner ou condamner tels ou tels programmes sociopolitiques. On aurait tort, par exemple, de faire de Jésus un agent subversif ou un militant révolutionnaire. Il nous rappelle opportunément, et avec toute la clarté désirable, que Dieu seul guérit la blessure du péché, source de toutes nos aliénations. L'homme se grandit en dénonçant les situations d'oppression et d'exploitation, mais la libération intégrale ne peut s'accomplir que par delà les repères fixés par l'homme. Parce qu'elle est un don de Dieu, la résurrection préserve l'idéal de la libération des pièges qui le guettent.

Le discours que Pierre prononça dans la maison du centurion Corneille (Ac 10, 34-43) souligne avec insistance la part que Dieu a prise dans les événements fondateurs de l'Église : « Dieu a consacré Jésus; Dieu était avec lui; Dieu l'a ressuscité et lui a donné de se manifester; Dieu l'a choisi comme juge. » L'apôtre annonce que l'entrée dans la communauté chrétienne, qui est un chemin de libération, est offerte par Dieu à tous les hommes, et cela sans autre condition que la conversion du cœur.

Aux sadducéens qui lui avaient posé une question-piège sur les modalités de la résurrection, Jésus avait répondu en substance : « Vous méconnaissez la puissance de Dieu, lequel n'est pas le Dieu des morts, mais des vivants » (Mc 12, 24-27). Lorsque Dieu s'engage vis-à-vis des hommes, cette relation ne saurait être abolie par la mort. Ressusciter, c'est recevoir de Dieu lui-même une vie nouvelle. Paul fait écho à ce message quand il déclare : « Si l'Esprit de celui qui a ressuscité Jésus d'entre les morts habite en vous, celui qui a ressuscité Jésus Christ d'entre les morts donnera aussi la vie à vos corps mortels, par son Esprit qui habite en vous » (Rm 8, 11).

En changeant de siècle

L'humanité a salué de bien des façons l'avènement d'un nouveau siècle et d'un nouveau millénaire. À nous, chrétiens, l'occasion était ainsi offerte de rappeler que l'hébreu *pesah*, qui est à l'origine du mot « pâque », signifie passage : passage libérateur du Seigneur au sein de son peuple opprimé, passage de la mort à la vie et du péché à la grâce. Le Ressuscité du matin de Pâques n'est autre que le Crucifié du vendredi saint. C'est Dieu qui l'a fait passer du royaume de l'ombre à la radieuse clarté de la nouvelle création.

Le changement de millénaire que nous venons de vivre nous invite d'abord à jeter un coup d'œil sur les 2000 ans d'histoire qui se sont écoulés depuis les origines chrétiennes. Que pèse une telle période à l'échelle des 150 000 ans qui nous séparent de l'émergence de l'homo sapiens? La révolution néolithique, source d'innovations techniques et culturelles dont nous continuons à bénéficier, date du 8e millénaire avant Jésus Christ. À partir du 4e millénaire, Sumer et la Mésopotamie inventèrent une civilisation qui allait s'étendre à tout le Moyen-Orient. Avec les Assyriens, les Babyloniens, les Perses, les Égyptiens et les Grecs, nous croisons l'histoire des Hébreux, les royaumes d'Israël et de Juda, puis le judaïsme d'après l'exil.

Ce rapide survol permet de situer à leur vraie place les deux millénaires qui se sont récemment achevés. Mouvement spirituel puissamment original, creuset culturel et artistique d'une remarquable fécondité, la tradition judéo-chrétienne avait été précédée et diversement influencée par des religions et des sagesses plus anciennes qu'elle. Aujourd'hui même, les spiritualités traditionnelles de l'Inde et de la Chine sont toujours vivaces. L'islam, qui a balayé tant d'antiques chrétientés, renforce de nos jours son implantation en Asie, en Afrique noire et en Europe. Si l'on tient compte des autres courants religieux ainsi que de tous ceux de nos contemporains — indifférents, agnostiques ou athées — qui ne professent aucune croyance déterminée, on s'aperçoit que plus de quatre hommes sur six sont désormais étrangers au christianisme. Certains d'entre eux ont fait clairement savoir que le Jubilé de l'an 2000 ne signifiait rien pour eux.

En ce jour de Pâques, nous acclamons le Christ dans l'éclat de sa victoire sur la mort. Mais la gloire de Dieu n'a rien à voir avec la notoriété sociale. Jésus de Nazareth, né anonyme parmi les pauvres, ignoré des puissants et des chroniqueurs de son temps, avait semé un germe qui ne fructifia vraiment qu'après sa mort. S'il y a un miracle du christianisme, ce n'est pas que celui-ci soit devenu, vers la fin du 4e siècle, la religion officielle de l'empire romain. C'est bien plutôt le fait que, dès les lendemains de la Pâque et de la Pentecôte de Jérusalem, le message et le rayonnement de Jésus aient conquis tant d'hommes et de femmes venus des horizons les plus divers. La dimension pascale de l'histoire chrétienne n'est pas à chercher dans tel ou tel « triomphe » de l'Église institutionnelle; elle réside dans la permanente actualité du miracle originel, tel qu'il s'accomplit, grâce à l'Esprit, dans le cœur et la vie des baptisés.

Nous n'avons pas à battre notre coulpe sur la poitrine de nos devanciers. Ce genre de « repentance » reviendrait à instrumentaliser l'histoire et à nous absoudre nous-mêmes à bon compte. Or, à l'aube du 3e millénaire, le monde chrétien demeure scandaleusement divisé. On peut, certes, incriminer les atermoiements des autorités ecclésiastiques. Mais il n'est pas sûr que les catholiques, les orthodoxes, les protestants et les anglicans « de base » se comportent, dans leur majorité, en artisans convaincus et convaincants de la réconciliation des Églises. Nous devons tous nous demander ce qu'il en est de la vitalité évangélique de notre témoignage individuel et collectif.

L'aube du nouveau siècle et du nouveau millénaire sera-t-elle une aube pascale, marquée par un renouveau spirituel qui soit à la hauteur des défis d'aujourd'hui et de demain? Cela dépendra des chrétiens pour la part de responsabilité qui leur échoit quant à l'avenir de la famille humaine. Puisque c'est Dieu qui a relevé Jésus d'entre les morts, demandons-lui de faire briller un soleil rédempteur sur le cimetière de nos défaillances et de nos sottes prétentions.

En même temps que d'une aube, il convient ici de parler d'une naissance. Avec le Sauveur mort et ressuscité, le baptisé naît, lui aussi, à une vie nouvelle. Chacune de nos existences se déroule, en quelque sorte, entre deux Pâques, qui sont comme deux naissances : celle du baptême et celle, à venir, des noces de l'Agneau. Dans les deux cas, l'homme ne peut qu'accueillir le don de Dieu. Naître, c'est se recevoir de l'amour d'autrui.

Chaque fois qu'un enfant vient au monde, l'humanité est appelée à réinventer son avenir. Baptisés, il nous appartient d'enfanter une société et une Église fraternelles. Cette renaissance du monde, Jésus nous en a livré le secret. Il est venu pour servir et donner sa vie pour ses frères et sœurs. Dans la lumière de Pâques, le chemin de l'humble service conduit vers une transformation en profondeur de nos mentalités et de nos comportements.

Si le grain ne meurt

Une tradition séculaire veut qu'une attitude et une démarche spécifiques correspondent à chacune des grandes fêtes de l'année liturgique. Cela vaut notamment pour les célébrations pascales, qui se sont imposées très tôt comme le centre et le sommet du culte chrétien. Or une parole de Jésus, transmise par l'évangile de Jean, résume parfaitement le message — biblique, spirituel et éthique — de la fête de Pâques : « Si le grain de blé tombé en terre ne meurt pas, il reste seul; mais s'il meurt, il porte beaucoup de fruit. Celui qui aime sa vie la perd, et celui qui refuse de s'y attacher en ce monde la gardera pour la vie éternelle » (Jn 12, 24-25).

La botanique nous apprend que, pour fructifier, la semence doit se dissoudre et disparaître. C'est là une sorte de loi organique de la création : il faut que les vivants consentent à mourir pour qu'une nouvelle vie surgisse. À l'instar du sommeil hivernal qui prépare mystérieusement les pousses du printemps, la mort comme source de vie s'affirme telle une nécessité universelle, encore que les rythmes et les modalités varient d'une espèce à l'autre. Dans le monde animal et humain, cette règle gouverne à la fois le destin biologique de l'individu et la succession des générations. L'être vivant naît, grandit, atteint sa maturité, puis décline et s'efface devant ceux qui s'apprêtent à prendre la relève.

Voilà pourquoi la moindre étincelle de vie doit nous apparaître comme précieuse. La différence entre un épi de blé naturel et une imitation réalisée par l'homme, c'est que le premier est pour nous un compagnon fraternel, fragile et périssable, témoin d'une histoire singulière. On fabrique aujourd'hui des fleurs artificielles qui rivalisent de beauté avec les merveilles de la nature. Il n'en est pas moins légitime de préférer à ces objets inertes les plantes vivantes, précisément parce que, mortelles, elles participent du miracle sans cesse renouvelé d'une aventure unique au sein de la chatoyante symphonie de l'univers.

Que dire alors des humains, eux aussi innombrables et non interchangeables? Chaque vie — fût-elle affaiblie, mutilée, méprisée ou exploitée — a un prix inestimable, puisqu'elle est à nos yeux un don du Créateur confié à l'ensemble de la famille humaine. Il en résulte un devoir collectif envers les droits inaltérables de chaque personne, quelles que soient son appartenance ethnique ou ses croyances. L'histoire des hommes est faite d'une suite ininterrompue de naissances et de morts. Malgré bien des dérives et des rechutes, elle s'accompagne aussi d'une lente montée de la conscience, qui impose à tous et à chacun des exigences de respect et de solidarité à l'égard d'autrui. Les diverses Déclarations des droits de l'homme qui se sont succédées depuis le 18e siècle illustrent et renforcent ce mouvement. Dans cette perspective, même l'échec et la souffrance peuvent acquérir une signification positive. Un rescapé de la tragédie du 11 septembre 2001 — un homme qui travaillait dans l'une des deux tours de New York et qui fut miraculeusement sauvé — a eu cette parole admirable : « Cette expérience terrible m'a appris que, tout compte fait, il y a sur terre plus d'amour que de haine. » Il faisait allusion à l'extraordinaire élan de sympathie et de solidarité que ces crimes avaient suscité dans le monde entier.

Il ne s'agit donc pas, pour l'homme, de subir stoïquement sa condition de créature, marquée du sceau de la précarité. À la différence du grain de blé enfoui dans le sol, nous sommes appelés à assumer notre caducité par un acte de liberté. Ce consentement n'est pas une morne résignation, mais l'accueil courageux de ce qui s'offre à nous jour après jour, avec la volonté de le faire fructifier. L'expérience montre qu'une attitude de refus condamne l'homme à rester seul comme le grain qui ne meurt pas. C'est ce que Jésus entend par « aimer sa vie », traduisons : s'installer frileusement dans l'existence conçue comme une inexpugnable rente de situation. Aimer sa vie en ce sens-là, c'est se recroqueviller sur son quant à soi, choisir l'immobilisme et la stérilité; c'est perdre son âme.

Pour vivre autrement, pour progresser et porter du fruit, il faut savoir mourir aux préjugés et à certaines habitudes, mais aussi, plus profondément, à cette forme d'égocentrisme qui engendre le mépris d'autrui. C'est en consentant à ces diverses « morts » que l'homme se met en état d'accéder à une plus haute qualité de vie. Les sages et les maîtres spirituels de tous les temps ont insisté sur ce point. Écrivains et artistes évoquent une expérience analogue quand ils décrivent le processus de la création littéraire, plastique ou musicale : le jaillissement de la nouveauté implique toujours une mort aux formes anciennes et au poids des conventions.

Jésus nous met en garde contre la tentation d'un attachement excessif aux aspects superficiels de la vie. Il attend de ses disciples qu'ils assument leurs limites, qu'ils renoncent à leurs rêves prométhéens et qu'ils se reconnaissent pécheurs devant Dieu. Ce dernier est seul capable de nous faire partager la « vie éternelle » comme il en a fait don à Jésus crucifié. La Pâque du Christ rend possible et appelle la nôtre. Nous marcherons dans ses pas si nous acceptons de préférer à l'amour d'une vie facile une vie tout entière vouée à l'amour.

Conversion pascale

Les récits évangéliques de Pâques divergent sensiblement quant aux circonstances de temps et de lieu qui entourèrent les manifestations de Jésus ressuscité. Bien plus, nous ne saurons probablement jamais ce que fut — psychologiquement parlant — l'expérience pascale des disciples, à commencer par celle des femmes de l'entourage de Jésus. En revanche, les témoignages recueillis dans les évangiles s'accordent à affirmer que le Vivant qui s'est montré aux disciples après sa mort n'était autre, à leurs yeux, que ce Jésus de Nazareth qu'ils avaient connu et suivi. Du coup, nous voyons s'établir dans la conscience des témoins un va-et-vient incessant et fécond entre leurs souvenirs concernant l'homme Jésus et les manifestations du Ressuscité : chacune de ces expériences retentit sur l'autre. Les disciples vont tour à tour chercher le secret de l'homme mortel dans son étonnante présence pascale et, réciproquement, chercher le secret du Vivant dans la personnalité et l'enseignement du maître disparu.

Or, dans nos textes, l'initiative des rencontres pascales appartient toujours au Ressuscité. Celui-ci prend par surprise des gens qui, visiblement, ne s'attendaient pas à un tel face-à-face. Certains, qui l'ont connu avant sa mort, hésitent à le reconnaître lorsqu'il se présente à eux après le drame sanglant de Jérusalem. Rapportant de son côté les manifestations du Christ vivant, l'apôtre Paul utilise une forme verbale (*ophtè*) qu'on peut traduire, soit par « il a été vu », soit par « il s'est fait voir, il s'est montré »; les deux versions soulignent le rôle second des témoins. Aux yeux de la première génération chrétienne, la résurrection de Jésus portait la marque (divine!) d'une nouvelle création. C'est Dieu qui a relevé Jésus des morts et lui a donné de manifester sa présence (Ac 10, 40). On ne saurait récuser plus énergiquement les thèses de l'autosuggestion et de l'hallucination collective.

Et s'il s'agissait là d'un artifice apologétique adopté par les auteurs chrétiens pour disqualifier les griefs de leurs adversaires? Il est certain que la jeune Église eut à défendre sa foi pascale contre des attaques de toutes sortes : nous en trouvons maints témoignages dans les écrits du Nouveau Testament. Pourtant, il ne semble pas possible de réduire le témoignage des apôtres à la visualisation sciemment orchestrée de leurs désirs intimes. Non seulement une telle explication jure avec ce que nous savons des disciples, travailleurs manuels réalistes et pragmatiques, mais elle ne rend pas compte de la formidable mutation spirituelle qui s'est opérée dans leur vie. Car enfin, le fait est là : l'annonce de la résurrection de Jésus s'accompagne, chez les disciples, d'une conversion décisive. Leur état d'esprit antérieur pouvait à la rigueur leur faire désirer une « réanimation » du Crucifié, semblable à celle de Lazare, l'ami de Jésus. Dans ce cas, le défunt bénéficie d'un sursis : il reprend pour un temps le cours de son existence terrestre. Or le témoignage pascal des disciples prend acte, d'emblée, du caractère irréversible de la mort de leur maître. Le Vivant qu'ils rencontrent dans la lumière de Pâques n'est pas un être miraculeusement « prolongé ». L'homme Jésus est mort pour de bon; sa résurrection, loin de l'abolir, suppose sa mort humaine.

Si l'on peut parler désormais d'une « présence » du Ressuscité parmi nous, c'est en un sens tout autre, qui échappe à notre expérience quotidienne de la présence d'autrui. Il est vain d'imaginer Jésus sortant, radieux, du tombeau. Ce que le Ressuscité demande aux siens, c'est de poursuivre son œuvre et d'être ses témoins jusqu'aux extrémités de la terre. Une force d'en-haut leur sera donnée pour cela : l'Esprit Saint. Celui-ci armera les disciples pour une mission infiniment exigeante, qui se soldera pour eux par un destin dramatique semblable à celui du maître. L'engagement des apôtres jusqu'au martyre ne s'explique que par une conversion, une *metanoïa,* changement radical de mentalité et de comportement. Telle fut, pour les disciples témoins de Jésus, la grâce pascale par excellence.

Nous sommes peut-être trop habitués à une imagerie merveilleuse pour accueillir le message de Pâques comme un pressant appel à la conversion. « Le Seigneur est ressuscité! » Ce cri de joie, qui retentit depuis 2000 ans à travers notre histoire, signifie que Jésus de Nazareth a ouvert aux hommes une espérance invincible. L'annonce pascale est un « non » résolu à la résignation, au désespoir, à la veulerie comme au désir narcissique d'immortalité. Pour ressusciter, il faut se laisser dépouiller, s'abandonner, mourir. Témoins du Ressuscité, les apôtres attestent par leur vie donnée qu'au cœur même de l'échec et de la détresse la destinée de tout homme conserve un sens grandiose : chacun de nous est aimé de Dieu et appelé, en réponse, à transfigurer le monde. C'est ainsi qu'il convient de célébrer la fête des fêtes, le dimanche des dimanches, « non pas avec de vieux ferments, la perversité et le vice, mais avec du pain non fermenté, la droiture et la vérité » (1 Co 5, 8).

Puissions-nous retrouver les accents d'un Grégoire de Nazianze, le grand évêque cappadocien du 4e siècle : « Jour de la résurrection, quel commencement! Embrassons-nous! Appelons frères également ceux qui nous détestent et, bien entendu, ceux qui ont travaillé et souffert par amour. Pardonnons-nous les uns aux autres. Hier, j'étais crucifié avec le Christ; aujourd'hui, je suis glorifié avec lui. Hier, j'étais mis à mort avec le Christ; aujourd'hui, je suis appelé à la vie avec lui. Offrons des sacrifices à celui qui a souffert et est ressuscité pour nous! Vous pensez peut-être à de l'or, à de l'argent, à des tissus délicats, à des pierres brillantes et précieuses. Non, c'est nous-mêmes que nos devons offrir, puisque c'est le bien le plus agréable à Dieu. Devenons semblables au Christ, puisque le Christ s'est rendu semblable à nous. »

L'autre dimension

Chacun de nos quatre évangiles présente deux ensembles qui se suivent et qui ne se ressemblent guère : un récit de la passion de Jésus et le témoignage rendu par les disciples à Jésus ressuscité. Non seulement ces deux séquences appartiennent à des genres littéraires différents, mais le sol nourricier des textes n'est pas du tout le même dans l'un et l'autre cas.

Les récits de la passion et de la mort de Jésus s'apparentent à des reportages dont le cadre topographique et chronologique peut être restitué avec une assez grande vraisemblance. De l'arrestation de Jésus au jardin des oliviers jusqu'à sa crucifixion et à sa sépulture, les chroniques évangéliques rapportent une série d'événements qui se sont déroulés en public et en présence de nombreux témoins : l'interrogatoire devant le sanhédrin, le reniement de Pierre, la sentence de Pilate, l'humiliation et l'exécution du condamné. Les spécialistes s'accordent à penser que ces récits représentent, en dépit de quelques divergences mineures, le noyau historique le plus anciennement organisé des évangiles. Il semble bien que des témoins oculaires aient fourni des matériaux utilisés plus tard par les rédacteurs des textes que nous connaissons. Disons que, si la photo et le cinéma avaient existé à l'époque des faits, ceux-ci auraient pu être fixés sur la pellicule et donner lieu à de précieux « documentaires ».

Pour les récits de Pâques, rien de tel. Les tableaux que présentent les quatre évangiles ne concordent pas entre eux. Le groupe des personnages n'est jamais le même, et les lieux où se produisent les « apparitions » du Ressuscité changent chaque fois. Il est donc impossible de reconstituer la trame des événements. Si le message est identique — à savoir : « Jésus est vivant, il est ressuscité des morts! » —, les scènes décrites par les évangélistes diffèrent considérablement. Nous sommes en présence de témoins qui rendent compte d'une expérience originale. Les faits qu'ils évoquent s'inscrivent dans un champ qualitativement différent de celui qu'explorent les historiens modernes. S'ils avaient existé, les appareils photo et les caméscopes n'auraient probablement rien pu enregistrer du tout.

Les évangiles ne mentionnent d'ailleurs aucun témoin direct de la résurrection de Jésus. Celle-ci ne fait pas suite, sur le même plan, aux péripéties de la passion. Elle révèle l'autre dimension de la mission terrestre de Jésus. Les manifestations du Ressuscité ne sont pas des faits publics, accessibles au tout-venant. Pierre le dira clairement lorsqu'il prendra la parole dans la maison du centurion Corneille : « Lui qu'ils ont supprimé en le pendant au bois, Dieu l'a ressuscité le troisième jour, et il lui a donné de manifester sa présence, non pas au peuple en général, mais bien à des témoins désignés d'avance par Dieu, à nous qui avons mangé et bu avec lui après sa résurrection d'entre les morts » (Ac 10, 39-41). Autant dire que l'expérience pascale ne se réduit pas à un simple constat visuel. Elle résulte d'une intervention divine et suppose, chez les disciples, une démarche de conversion et de libre adhésion. Durant son ministère terrestre, les disciples avaient certes entrevu cette autre dimension qui habitait leur maître; à présent, ils la découvraient dans l'éclat de la métamorphose pascale.

Cette double approche se retrouve dans la vie des chrétiens. Hommes parmi les hommes, les baptisés partagent avec leurs compagnons de route, croyants ou non, le destin fort contrasté que leur réserve l'histoire. Mais, grâce au témoignage pascal des apôtres, les disciples de Jésus discernent une autre dimension de l'aventure humaine. Il y a des jours où la vie est habillée de lumière. Pour

Pierre, Jacques et Jean, ce fut, bien avant Pâques, l'éblouissement de la Transfiguration. Le morne déroulement de nos journées prend alors un tout autre relief, une saveur et une densité insoupçonnées. Jésus défiguré, Jésus transfiguré : c'est le même homme, en qui Dieu ouvre un chemin de lumière dans nos ténèbres. L'homme écrasé, l'homme debout : c'est l'image d'un monde injuste et violent, mais dont l'autre dimension, voulue par le Créateur, resplendit contre vents et marées dans le cœur et les yeux de ceux qui croient à la résurrection. À la suite des premiers témoins du Christ vivant, il nous est donné de découvrir celui-ci dans le temps présent, cheminant à nos côtés jusqu'au terme de la route.

La dimension pascale de la vie ne jette nullement le discrédit sur la grisaille souvent médiocre du quotidien. Elle en dévoile les ressources et les promesses. Le regard de la foi et de l'espérance nous permet de « tenir » dans les moments difficiles, un peu comme l'image d'êtres chers décuple la résistance d'un alpiniste ou d'un navigateur solitaire à la dérive. L'homme « unidimensionnel », simple producteur et consommateur de richesses, court le risque de s'asphyxier parce qu'il manque du souffle que procure l'autre dimension de l'existence. Tel est le sens qu'a pour le chrétien cette exhortation de l'apôtre : « Du moment que vous êtes ressuscités avec le Christ, recherchez les choses d'en haut, là où se trouve le Christ. Pensez aux choses d'en haut, non à celles de la terre! » (Col 3, 1-2).

Souvenir et mémoire

Il y a une manière de se souvenir d'un disparu qui revient à se débarrasser de lui pour de bon, en le dépossédant de sa parole. C'est nous, les survivants, qui évoquons sa personnalité et les étapes de son parcours terrestre. Ce faisant, nous résistons difficilement à la tentation, soit de le récupérer, soit de le marginaliser en fonction de nos intérêts ou de nos préoccupations du moment. C'est comme si nous « achevions » moralement celui que nous faisons mine d'honorer.

Cette dérive du souvenir est illustrée, dans l'évangile de Luc, par l'épisode des disciples d'Emmaüs (24, 13-35). En se rendant de Jérusalem à Emmaüs, deux hommes racontent à un compagnon de rencontre la fin dramatique de leur maître, Jésus de Nazareth. À leurs yeux, celui-ci était « un prophète puissant en œuvres et en paroles devant Dieu et devant tout le peuple », mais les grands prêtres et les dirigeants d'Israël l'ont livré au supplice infamant de la croix. Quelques femmes ont bien fait état d'un message céleste le déclarant vivant. Mais lui, personne ne l'a vu depuis sa mort.

Il faut, hélas! se rendre à l'évidence : la mission de ce prophète se solde par un échec cuisant, et les espoirs de ses adeptes s'évanouissent lamentablement. Une belle histoire s'achève par l'exécution de son héros. Le groupe qui s'est formé autour de lui se trouve brutalement privé d'avenir.

Ce qui alimente la désillusion des deux témoins, ce sont leurs attentes déçues et l'idée qu'ils s'étaient faite du Messie promis. Comme Jésus n'a pas réalisé ces espérances, ils en sont réduits à ressasser leur désenchantement.

Mais voici que le récit de l'évangéliste bascule avec l'apostrophe que leur adresse le voyageur inconnu : « Esprits sans intelligence, cœurs lents à croire ce qu'ont annoncé les prophètes! » Et l'homme de leur expliquer, au fil des Écritures, ce qui concernait le prédicateur galiléen exécuté dans la ville sainte. Que s'est-il passé? C'est que le pèlerin anonyme qui parle ainsi n'est autre que Jésus, le crucifié. À cet homme, Dieu donne à présent de prendre à nouveau la parole. C'est lui, le Vivant, qui dévoile aux siens la véritable signification des événements récents. Il leur fait comprendre que « le Christ devait souffrir cela pour entrer dans sa gloire ». Alors que le souvenir timoré et égocentrique des disciples réduisait au silence le maître disparu, le Ressuscité leur communique *sa* compréhension à *lui* du dessein de Dieu et de sa propre mission. L'initiative divine substitue la mémoire de la Pâque, aube des temps nouveaux, au souvenir stérile d'un passé douloureux refermé sur lui-même.

Nous assistons à un renversement complet de la perspective. Dans le souvenir des deux disciples, la crucifixion de Jésus mettait un terme définitif à leur rêve messianique et, peut-être, à leurs espoirs de libération nationale. Le Ressuscité les arrache à leur accablement en ouvrant leur intelligence et leur cœur aux tâches présentes et à venir découlant de l'annonce pascale.

Lorsque le mystérieux convive prend le pain, prononce la bénédiction, rompt le pain et le leur donne, ils reconnaissent Jésus vivant, réellement présent quoique bientôt invisible. La fraction du pain apparaît comme le geste et le moment où les disciples découvrent l'identité transfigurée de celui qu'ils avaient fréquenté naguère dans l'humilité de sa chair mortelle. Partage de la parole, partage du pain : c'est la structure du sacrement. C'est aussi la réalité quotidienne de l'existence chrétienne, puisque le rite est inséparable de l'amour fraternel. Du coup, on quitte le havre nostalgique et déformant du souvenir pour entrer dans le champ de la mémoire et du mémorial, ouvert sur le présent et l'avenir.

Se souvenir, c'est plonger dans son propre passé en vue de façonner ou de remodeler son image et son histoire personnelles. Reconstruction qui ne va pas sans une fuite hors de l'actualité ni sans quelque complaisance envers soi-même. Faire mémoire, c'est au contraire recevoir d'autrui — témoins humains, Esprit de Dieu — une intelligence globale de l'histoire dans laquelle nous sommes immergés et dont il nous appartient de vérifier la fécondité ici et maintenant. La mémoire d'une famille, d'une ville, d'un peuple ou d'une communauté croyante n'est la propriété exclusive d'aucun de ses membres. Elle ne se ramène pas davantage à la somme de leurs souvenirs subjectifs. À la fois œuvre collective et image vivante gratuitement offerte à tous, la mémoire du groupe fournit à celui-ci les raisons et les repères nécessaires à l'action.

Faire mémoire, ce n'est pas commémorer des faits révolus; c'est mettre en œuvre la grâce qui sous-tend l'histoire de l'Alliance de Dieu avec les hommes. Alors qu'un jeu scénique de la Passion prend appui sur les souvenirs des témoins tels qu'ils sont consignés dans les évangiles, le mémorial eucharistique actualise l'amour sauveur de Dieu engagé non seulement dans l'événement du Golgotha, mais dans notre histoire présente. Faire mémoire de la Pâque du Christ consiste, pour nous, à confronter les défis d'aujourd'hui et de demain à l'agir de Dieu que révèlent la vie, l'enseignement et la mort-résurrection de Jésus. Le mémorial pascal acquiert sa vraie signification dans la mesure où il donne à voir présentement la libération et la réconciliation que Dieu accomplit dans le monde par la venue parmi nous de son Fils et par la puissance de son Esprit.

Pour une culture de la vie

La fête de Pâques est d'abord un fervent hommage à Jésus vivant, le crucifié que Dieu a délivré des liens de la mort en l'accueillant dans sa gloire. En même temps, les célébrations pascales nous rappellent avec force que nous sommes appelés, nous aussi, à renaître en Dieu à la suite du « premier-né d'entre les morts ».

Ce n'est pas là une revanche incantatoire sur les dures réalités et l'apparente absurdité de notre condition terrestre. Un long chemin de la foi a conduit l'ancien Israël à se familiariser avec l'idée d'une résurrection des morts. Le peuple élu avait découvert le visage du Dieu de l'Alliance alors même que la croyance en une survie après la mort était absente de son horizon spirituel. Israël mettait sa confiance dans les promesses du Dieu vivant qui, par sa parole et sa présence agissantes, guidait son destin. La prédication prophétique et la méditation sur le sort tragique des martyrs juifs rendirent finalement possible l'éclosion d'une conviction que formula pour la première fois le prophète Daniel : « Un grand nombre de ceux qui dormaient dans la poussière de la terre s'éveilleront, les uns pour la vie éternelle, les autres pour la honte et l'horreur éternelles. Les sages brilleront comme la splendeur du firmament, et ceux qui ont enseigné la justice à la multitude resplendiront comme les étoiles, pour toute l'éternité » (Dn 12, 2-3). Selon ces prémisses, l'apôtre Paul confessera la foi unanime de l'Église naissante : « Si nous croyons que Jésus est mort et qu'il est ressuscité, de même ceux qui sont morts, Dieu, à cause de Jésus, les emmènera avec lui » (1 Th 4, 14).

Quel est, dans le monde où nous vivons, l'impact de deux millénaires de proclamation pascale? Nos sociétés ne portent-elles pas la marque obsédante de ce que le pape Jean-Paul II a appelé une « culture de la mort »? D'un côté, on occulte avec soin la « disparition » des individus vaincus par l'âge ou la maladie. Dans le même temps, nous assistons, résignés ou vaguement complices, à l'élimination programmée d'innombrables vivants que rien ne condamne à mourir avant l'heure.

Au bas de l'échelle, l'homme met une aveugle frénésie à saccager le règne végétal, notamment ces poumons de la planète que sont les grandes forêts tropicales. Certaines formes d'urbanisation et d'industrialisation tendent à dévaster le merveilleux jardin confié à notre gérance. Certes, la Bible a fortement contribué à désacraliser la nature en en chassant les divinités tutélaires. Mais le rejet de l'idolâtrie ne cautionne d'aucune manière une destruction délibérée de l'environnement.

La culture de la mort affecte aussi le sort que nous réservons au monde animal. Sous prétexte de rentabilité, la chasse et la pêche recourent à des méthodes de plus en plus sanglantes, de sorte que de nombreuses espèces sont à présent menacées d'extinction. Le transport et l'abattage des bêtes destinées à l'alimentation humaine s'accompagnent trop souvent de brutalités aussi dégradantes qu'inutiles. Et que dire des traitements révoltants auxquels donnent lieu les installations d'élevage intensif, certaines séances d'expérimentation animale ainsi que l'industrie de la fourrure ou des produits cosmétiques?

Or l'Écriture présente l'univers comme un tout organique, œuvre d'un Dieu d'amour qui veut que ses créatures vivent, s'épanouissent et se multiplient. Une irrésistible énergie anime le monde vivant, si bien que le moindre geste favorable ou hostile à la vie renforce ou contrarie le projet du Créateur. C'est à cette aune qu'il convient d'apprécier la qualité, positive ou négative, d'une action, d'un programme politique, d'une vie d'homme ou d'une séquence historique. Nos comportements et nos styles de vie ne sont pas neutres. Si nous voulons qu'ils s'inscrivent dans la dynamique d'une culture de la vie, il faut que nous nous organisions pour cela et que nous en prenions les moyens.

Le 20e siècle, qui appartient désormais à l'histoire, offre à cet égard un spectacle singulièrement contrasté. Des avancées technologiques, médicales et sociales ont indéniablement amélioré les conditions de vie d'une partie non négligeable de la famille humaine. Il est toutefois à craindre que la mémoire des hommes ne soit durablement marquée par les côtés sombres de cette époque : les guerres mondiales, les génocides, les camps de la mort, les injustices structurelles en matière économique, sociale et sanitaire. Les générations qui montent sauront-elles tirer des échecs et des tueries d'hier les leçons de sagesse et de solidarité dont le monde a un urgent besoin? Comprendront-elles que la vie sous toutes ses formes est un don précieux que l'homme s'honore d'accueillir avec humilité au lieu d'en disposer selon ses lubies ou ses convoitises?

Jésus ressuscité incarne un désir de vivre qui s'alimente à la source divine, seule capable de répondre à la violence et à la haine par le pardon et l'amour. Un désir qui ne se limite pas à la simple préservation biologique, mais oriente vers plus de respect, de patience, de tendresse et de partage. Notre vocation pascale nous engage à protéger tous les germes de vie, spécialement l'éminente dignité de la personne humaine, depuis sa conception jusqu'au terme naturel de son existence. Voilà qui nous autorise à dire avec Christian Bobin, auteur d'un beau livre sur François d'Assise : « Rien, pas même la douleur la plus grande, ne saurait empêcher la vie de briller au cœur de nos mains, comme une étoile. »

Enjeux politiques

En France, mais aussi dans d'autres pays, le printemps est souvent la saison des échéances électorales — municipales, législatives ou présidentielles — qui rythment la vie publique. Que ces rendez-vous civiques coïncident parfois avec le temps pascal, ce n'est là qu'une occurrence fortuite et tout extérieure. Il va de soi que ni les pages d'évangile qui sont proposées tout au long du Carême ni les trésors liturgiques et spirituels de la Semaine sainte et de Pâques ne nous orientent vers quelque choix politique que ce soit. Les votes que nous émettons découlent d'une multitude de facteurs qui varient et s'entrecroisent sans que nous en ayons toujours une claire conscience. Il est d'ailleurs bien connu que les options politiques et sociales des chrétiens sont largement divergentes.

Leur foi n'en marque pas moins la manière dont ils participent à la vie publique, tout simplement parce qu'ils sont à la fois citoyens et croyants, acteurs de la société et membres de l'Église. La fête de Pâques, cœur et sommet de l'année chrétienne, nous offre une excellente occasion d'évaluer le lien que nous établissons — ou que nous pourrions établir — entre nos convictions religieuses et nos engagements dans la cité des hommes. Les récits évangéliques du temps de Pâques fournissent à cet effet quelques indications précieuses.

Il y a tout d'abord le fait que les disciples de Jésus reconnaissent dans le Vivant qui se présente à eux après sa mort leur compagnon et maître, condamné et supplicié. Le Ressuscité n'est autre que le Crucifié, portant à jamais les stigmates de sa passion. Jésus debout dans la lumière de Pâques symbolise l'éminente dignité de tout homme, singulièrement des plus faibles et des plus déshérités parmi nous. Dans les campagnes électorales, comme dans les aléas de la vie quotidienne, l'être humain devrait représenter une valeur sacrée. Si le sabbat a été fait pour l'homme, à plus forte raison convient-il de mettre l'organisation des sociétés au service des personnes, et non l'inverse. Hélas!

nous sommes loin du compte. Pourtant, nous sommes enfants du même Père et la Bible ne cesse de rappeler que Dieu témoigne un amour de prédilection aux humbles et aux exclus. Jésus fut de ceux-là, et c'est lui que Dieu a reconnu comme son Fils bien-aimé.

Les stratèges électoraux expliquent benoîtement qu'il importe de se ménager à l'intérieur de chaque camp, « parce qu'il faudra bien qu'on se retrouve au second tour ». Disciples de Jésus, nous sommes appelés à nous respecter « dès le premier tour ». On doit pouvoir critiquer les idées et les projets de quelqu'un sans le traîner dans la boue. D'ailleurs, l'expérience montre que les attaques personnelles déshonorent généralement, non leurs cibles, mais leurs auteurs. Dieu a ressuscité des morts Jésus crucifié parce que, chez cet homme, l'amour avait porté le plus beau des fruits : le don de soi aux autres, sans réserve ni discrimination.

Les évangélistes soulignent en outre le fait que le Ressuscité n'est plus tributaire des limites inhérentes à notre condition terrestre. L'espace dans lequel il se meut désormais ignore les contraintes qui pèsent sur nous : il se manifeste aux siens en Galilée aussi bien qu'à Jérusalem, et des portes verrouillées ne sont pas un obstacle pour lui. Par un effet de contraste, son nouveau mode d'existence dévoile les rigidités et les étroitesses des lieux que nous habitons. On peut rappeler à cet égard les méfaits d'une conception étriquée et souvent exclusive de la nation. Le chrétien, qui aime légitimement sa patrie, se détourne de l'esprit de Jésus dans la mesure où il subordonne le grand commandement de l'amour à une passion nationaliste qui, tout au long du 20e siècle, a ensanglanté l'Europe et le monde.

Le Ressuscité est également maître du temps. Rythmée depuis les origines par le cycle des naissances et des morts, l'histoire de l'humanité s'ouvre aussi, à nos yeux, sur un avenir qui est dans la main de Dieu. Le monde nouveau inauguré par la Pâque de Jésus re-commence ici et maintenant. Avec tous nos contemporains, nous en sommes responsables pour le meilleur et pour le pire.

D'où une nouvelle série d'interrogations, à soumettre si possible aux candidats qui sollicitent nos suffrages. Quelles mesures proposent-ils pour réduire le fossé entre pays riches et pays pauvres? Comment entendent-ils combattre chez nous l'injustice sociale, la contagion de la violence et la destruction de l'environnement? Bref, quel avenir notre société réserve-t-elle aux générations futures? Pour les baptisés, témoins de Jésus mort et ressuscité, il y a là un enjeu capital. S'ils ne s'efforçaient pas d'édifier un monde plus conforme à la bonne nouvelle du Royaume, leur foi apparaîtrait comme « vide », et les hommes les prendraient avec raison pour de « faux témoins de Dieu » (1 Co 15, 14-15).

Le dernier ennemi

Le propre des vivants, végétaux et animaux, est d'être périssables, mais seul l'homme sait qu'il va mourir. Le jour de sa naissance, chacun de nous entame une marche plus ou moins longue vers ce terme inexorable de son existence terrestre. De Platon à Heidegger, les philosophes n'ont cessé de méditer sur l'étrange condition de cet « être-pour-la-mort » qui, cependant, porte en lui un désir irrépressible d'immortalité. Il n'est donc pas étonnant que l'humanité ait inlassablement cherché à surmonter cette contradiction. Est-il concevable que la vie d'une personne, riche de ses acquis et de ses attaches relationnelles, bascule subitement dans le néant? L'homme pourra-t-il jamais se résoudre à envisager l'abolition irréversible, non seulement de son corps, mais de tous les trésors du cœur et de l'intelligence qui auront été ses plus hautes raisons de vivre? Est-ce un pari insensé que d'espérer pour chacun de nous une victoire sur la mort?

De nombreuses sagesses et religions ont imaginé, en guise de revanche sur la cruauté du destin, diverses compensations dans l'au-delà : une renaissance, la permanence d'une âme spirituelle, une rétribution destinée à corriger les injustices d'ici-bas, une félicité éternelle, etc. Ces perspectives rassurantes ont par ailleurs donné lieu à toutes sortes de spéculations sur les rapports entre les vivants et les morts, et cela afin de désamorcer le caractère énigmatique et angoissant de la mort individuelle. Faut-il rappeler que la Bible ne cautionne nullement ce genre de « consolation »? Aux yeux des juifs et des chrétiens, la mort est une dure réalité liée à la condition historique de l'homme; selon l'expression de l'apôtre Paul, elle est le « dernier ennemi » de Dieu (1 Co 15, 26). Seule est considérée comme légitime la prière pour les défunts, auxquels nous associe la communion des saints.

À notre époque, on assiste à de nouvelles tentatives en vue de banaliser, d'évacuer, voire de nier la mort. Les grands malades sont envoyés à l'hôpital, où ils meurent loin de leur famille, dans un milieu médicalement aseptisé. Cette dépersonnalisation se reflète dans le langage courant : la mort se transforme en décès, et celui-ci tend à se réduire aux dimensions d'un épisode administratif. D'ailleurs, les entreprises de pompes funèbres « s'occupent de tout », si bien que le cours de la vie normale peut reprendre dès le lendemain des obsèques. À cela s'ajoute l'effet (et peut-être la motivation) de la pratique de plus en plus répandue de la crémation, qui accentue une évolution dépossédant l'entourage du mourant et du défunt de son rôle traditionnel. Le cadavre devient un objet encombrant et un témoin gênant, que les vivants s'empressent d'escamoter. Plutôt que d'une victoire sur la mort, il conviendrait en ce domaine de parler d'une fuite oblique ou d'une conduite de dénégation.

Depuis quelque temps, des solutions plus radicales encore prennent le relais de ces pratiques de dissimulation. Sous prétexte d'éliminer le spectacle traumatisant de la mort naturelle, certains n'hésitent pas à prendre les devants en abrégeant délibérément leur propre vie ou celle d'autrui. L'euthanasie et le suicide assisté sont alors présentés comme des progrès décisifs en matière de dignité et d'humanité. Parce qu'elle refuse de mourir, notre société n'a rien trouvé de mieux que de se donner elle-même la mort. On tue pour assurer un mieux-vivre, ce qui est une des définitions de l'eugénisme.

La victoire sur la mort que les Églises chrétiennes célèbrent le jour de Pâques se situe aux antipodes de ces dérives. Aux juifs rassemblés à Jérusalem, Pierre adressa le message qui allait se répandre jusqu'aux confins de la terre : « Jésus de Nazareth, vous l'avez livré et éliminé en le faisant crucifier par la main des impies; mais Dieu l'a ressuscité en le délivrant des douleurs de la mort » (Ac 2, 22-24). Oui, la mort — qu'elle survienne naturellement ou qu'elle soit provoquée par un événement violent — demeure le lot commun de toute créature. La mort d'autrui me rappelle ma propre mortalité. Cette perspective, qui fait partie intégrante de ma condition d'homme, je gagne à l'assumer et à l'intégrer; la camoufler ou la nier revient à m'évader du réel et à me mentir à moi-même.

La mort ne devient un passage vers la vie que par une initiative re-créatrice, qui appartient à Dieu seul. Par delà sa mort humaine, Jésus est entré dans le monde nouveau où Dieu est tout à tous. Ainsi, la mort n'est ni masquée ni annulée; elle change de sens. La mort est « vaincue » en ce sens qu'elle cesse d'être le stigmate d'une dramatique séparation pour devenir un signe de libération et de communion.

En Jésus, Dieu a vaincu son dernier ennemi, la mort. Et le bénéfice de cette victoire nous est assuré du fait que Jésus est le premier-né de l'humanité recréée par Dieu. Par là, nos existences acquièrent dès à présent une dimension d'éternité. Il dépend de nous qu'elles soient tout entières orientées vers la vie, ce don merveilleux et inépuisable du Créateur qui est le fruit de sa tendresse de Père.

Il nous appartient de vérifier, en ce qui nous concerne, le mot d'Athanase d'Alexandrie : « Le Christ ressuscité fait de la vie de l'homme une fête continuelle. »

3

Pentecôte Chemin d'invention

LE NOM GREC DE « PENTECÔTE » (*pentêkostê*, cinquantième) désignait déjà la fête juive des semailles ou de la moisson, que l'on célébrait cinquante jours après la Pâque. Au lendemain de l'exil, certains courants du judaïsme avaient rattaché à cette fête agraire le souvenir de l'Alliance du Sinaï.

Dans l'Église primitive, on donna le même nom au dimanche qui clôturait la cinquantaine pascale et dont la date variait en fonction de celle de Pâques. Les Actes des apôtres montrent comment l'irruption du Saint-Esprit donne naissance à l'Église. Le souffle divin suscite un peuple de témoins à qui il revient d'inventer littéralement le visage et les structures de cette nouvelle communauté de croyants. Et comme, à la différence du judaïsme, l'Église naissante s'inscrit dans un horizon résolument universel, les innovations requises ne pourront guère s'adosser aux modèles juifs. Il ne s'agira pas davantage de reconduire les innombrables préceptes composant la Torah, puisque l'Évangile proclame le primat du double commandement de l'amour, l'accueil inconditionnel du prochain servant de pierre de touche à l'amour de Dieu.

La Pentecôte chrétienne est aussi, à sa manière, une fête de la moisson. D'abord fête du Seigneur, elle est devenue la fête du Saint-Esprit. Or celui-ci apparaît, notamment dans les écrits de Paul et de Luc, comme l'auteur des énergies divines qui fécondent les initiatives apostoliques. Ce sont les fruits du Saint-Esprit qui signent notre appartenance au Christ, et c'est là un chemin d'invention largement ouvert.

Pour bon nombre d'entre nous, la Pentecôte correspond au temps des vacances et des congés annuels. Voilà quelques semaines de répit qui suspendent, en quelque sorte, le rythme harassant des travaux et des jours. Relâche propice aux voyages, aux rencontres et aux découvertes de toutes sortes. Pour les chrétiens, c'est l'occasion de regarder, d'écouter, d'échanger dans des contextes inédits. L'occasion aussi de se joindre à des groupes qui célèbrent la foi à leur façon. Accueillir des idées, des impulsions ou des appels, c'est une manière non conventionnelle de se laisser conduire par l'Esprit, « qui souffle où il veut ».

Le vent souffle où il veut

L'évangile de Jean rapporte une rencontre nocturne entre Jésus et Nicodème, un notable pharisien. À cet homme de bonne foi, Jésus annonce que nul, s'il ne renaît d'eau et d'Esprit, ne peut entrer dans le royaume de Dieu. Devant l'étonnement de son interlocuteur, Jésus recourt à une métaphore jouant sur le double sens du mot *pneuma* (souffle) : « Le vent souffle où il veut; tu entends sa voix, mais tu ne sais ni d'où il vient ni où il va. Ainsi en est-il de quiconque est né de l'Esprit » (Jn 3, 8).

Cette parole de Jésus en évoque d'autres, qui soulignent à leur manière le mode d'action original de l'Esprit de Dieu dans la vie des disciples : « L'Esprit Saint, que le Père enverra en mon nom, vous enseignera toutes choses et vous rappellera tout ce que je vous ai dit » (Jn 14, 26). Ou encore : « Lorsqu'on vous emmènera pour vous livrer, ne soyez pas inquiets à l'avance de ce que vous direz, mais dites ce qui vous sera donné à cette heure-là. Car ce n'est pas vous qui parlerez, mais l'Esprit Saint » (Mc 13, 11). Il y a là un langage inédit, mais qui plonge ses racines dans le terreau de la Bible hébraïque et de la Torah orale. L'Esprit de Dieu y est perçu comme une force créatrice et une source d'inspiration capables de susciter des initiatives novatrices chez ceux qu'il investit. Cette puissance divine — esprit de sagesse et de discernement, de conseil et de vaillance, de connaissance et de crainte — devait reposer sur le Messie issu du lignage davidique ainsi que sur le mystérieux

Serviteur qui, par ses souffrances, justifierait les multitudes. L'Esprit habitait les prophètes au point de faire de leur parole d'hommes le véhicule d'un message divin. Bien plus, l'Ancien Testament annonçait une effusion de l'Esprit de Dieu sur le peuple tout entier, à l'instar de la nouvelle création suggérée, dans la grandiose vision d'Ézéchiel, par la réanimation des ossements desséchés (Ez 37, 1-14).

Quand l'Écriture parle de l'Esprit de Dieu, elle évoque une énergie active, mais imprévisible dans ses effets, souveraine et cependant liée aux transformations qu'elle opère dans le cœur des hommes et au sein des groupes qui l'accueillent. Plus précisément, l'agir de l'Esprit se conjugue, chez les grands témoins du Dieu vivant, avec leurs facultés de créativité et d'innovation. Les étapes marquantes de la Révélation biblique supposent une coopération féconde entre l'inspiration divine et le dynamisme d'une poignée de personnalités d'exception. Cette synergie se manifeste éloquemment sur le plan littéraire, depuis la poésie des psaumes jusqu'aux visions saisissantes de l'Apocalypse en passant par les oracles prophétiques, les recueils de sagesse et les paraboles évangéliques. Mais l'inventivité de la foi juive et chrétienne s'exprime aussi dans l'apport de cette double tradition au développement social, technique, culturel, artistique et éthique de l'humanité.

La Pentecôte de Jérusalem inaugure la manifestation de l'Esprit promis par Jésus. Le vent violent symbolise l'irruption d'une puissance d'en haut capable d'arracher les disciples à leur morosité frileuse. Les langues de feu engagent les apôtres à inventer un langage nouveau en vue de la diffusion de l'Évangile parmi les nations. Les premières conversions, les guérisons et la naissance de communautés assidues à l'écoute de la parole, à la communion fraternelle et au partage des biens sont autant de signes de la foisonnante fécondité de l'Esprit Saint. Car, même si les chrétiens empruntèrent aux juifs bien des éléments consacrés par des traditions séculaires, il apparut rapidement que les jeunes Églises étaient tout autre chose que des copies conformes de l'ancien Israël.

Vingt siècles plus tard, qu'est devenu le génie imaginatif des origines? Les générations successives n'ont-elles pas cédé à la tentation d'empêcher le vent de souffler où il veut? N'ont-elles pas fini par enfermer le feu de la Pentecôte dans un édifice institutionnel menacé par la sclérose? Et nous-mêmes, nos comportements ne donnent-ils pas à penser qu'il suffit de conserver et de reproduire telles quelles les structures et les formules héritées du passé?

Si nous raisonnions ainsi, cela voudrait dire que nous nous méprenons gravement sur la promesse et le don de l'Esprit et donc sur le sens de la fête que nous célébrons aujourd'hui. Certes, nous recevons de nos devanciers de quoi définir notre identité et notre vocation, mais nous savons d'expérience qu'il nous faut inventer jour après jour la mise en œuvre concrète de cet héritage. L'analogie du mariage peut ici nous éclairer. La bénédiction nuptiale et la fête qui l'accompagne sont certes des moments importants dans la vie d'un couple. Mais le foyer ainsi fondé doit pouvoir, dans la suite, se nourrir de l'inventivité conjuguée des époux, des parents et des enfants en matière de tendresse, de partage et de fidélité.

Pourquoi devons-nous innover en tant que chrétiens? Tout simplement parce que les situations, les sensibilités et les mentalités changent sans cesse, et aujourd'hui sans doute plus rapidement qu'autrefois. Si nous voulons empêcher la Bonne Nouvelle de dépérir et de s'atrophier, l'urgence est d'imaginer des gestes, des rassemblements, des paroles et des symboles qui donnent corps à l'amour et à l'espérance. C'est un Esprit d'invention que nous recevons. Pour la simple reproduction de modèles préexistants, il suffirait d'une solide organisation et d'une bonne dose de discipline. Mais il s'agit d'accueillir les dons de Dieu et de faire jaillir la vie : c'est à une ouverture constante du cœur et de l'esprit que fait appel la grâce de la Pentecôte.

Langage des symboles

Nous nous demandons parfois ce que la Pentecôte « ajoute » à Pâques ou ce qu'il en est du « plus » que la confirmation est censée représenter par rapport au baptême. Ces questions se posent notamment parce que, selon l'étymologie, la Pentecôte n'est jamais que le cinquantième jour du temps pascal et que les Églises d'Orient regroupent dans une même célébration le rite du baptême et celui de la confirmation. Par ailleurs, si l'accent est mis — à propos de la Pentecôte comme de la confirmation — sur le don du Saint-Esprit, il peut paraître étrange de considérer celui-ci comme exclusivement lié à un moment ou à un acte sacramentel déterminé.

De fait, les évangiles de Matthieu (1, 18) et de Luc (1, 35) affirment que Jésus était, dès sa conception, tout entier habité par l'Esprit de Dieu. De son côté, l'apôtre Paul insiste sur le rôle de l'Esprit dans la résurrection de Jésus (Rm 8, 11). Quant à l'évangile de Jean, après avoir relaté la manifestation du Ressuscité aux disciples « le soir de ce même jour qui était le premier de la semaine », il note que Jésus souffla sur les siens en leur disant : « Recevez l'Esprit Saint! » (Jn 20, 22). Ainsi, le don de l'Esprit est présenté comme une grâce pascale : la toute première Pentecôte aurait coïncidé avec le premier dimanche de Pâques!

Il est vrai que le livre des Actes des apôtres fixe au « cinquantième jour » la venue du Saint-Esprit sur les juifs rassemblés à Jérusalem (Ac 2, 1-13). Précisons simplement que d'autres effusions de l'Esprit sont mentionnées dans les chapitres suivants du même livre des Actes. C'est ainsi que l'Esprit Saint « tomba » sur les personnes réunies à Césarée, dans la maison du centurion Corneille (Ac 10, 44-48). À la Pentecôte de Jérusalem, destinée aux enfants d'Israël, répond la Pentecôte de Césarée, dont bénéficièrent des païens venus écouter la prédication de Pierre. On ne peut que s'écrier avec le narrateur : « Ainsi, le don de l'Esprit Saint était maintenant répandu jusque sur les nations païennes! »

Ce qui est offert d'emblée — et en permanence — par Dieu créateur et sauveur se déploie à nos yeux selon une pédagogie qui tient à la fois au déroulement de l'histoire du salut et aux repères symboliques propres à l'être humain. La Pentecôte n'ajoute rien de vraiment nouveau à la Pâque, pas plus que la confirmation ne communique au baptisé une grâce dont il aurait été privé jusque-là. Nous avançons par étapes dans l'accueil et l'appropriation de la Bonne Nouvelle. Pour cela, nous avons recours à des moyens d'expression et à des modes de célébration qu'appelle la croissance spirituelle des individus et des groupes. Cinquantième jour du temps pascal, la Pentecôte clôt une période festive de sept semaines en même temps qu'elle oriente les fidèles vers les semaines « ordinaires » qui suivent. Cette double fonction est centrée sur un unique mystère : le passage libérateur vers le Père de Jésus mort et ressuscité, premier-né d'une humanité régénérée par la puissance du Saint-Esprit.

Alors que la liturgie pascale met principalement en œuvre le riche symbolisme de l'eau et de la lumière, la Pentecôte se réfère aux images bibliques du souffle et du feu. Les termes hébreu (*roûah*) et grec (*pneuma*) que nous traduisons par « esprit » désignent d'abord le souffle : le souffle de Dieu qui planait à la surface des eaux primordiales (Gn 1, 2) ou encore l'haleine de vie que le Créateur insuffla dans les narines de l'homme tiré de la glaise du sol (Gn 2, 7). Le souffle vital est le symbole universel de l'énergie, du dynamisme, de l'esprit créateur, du courage et de l'espérance. En ce début de siècle et de millénaire, la famille humaine est manifestement à la recherche d'un nouveau souffle, d'un élan capable de rendre espoir et dignité à des centaines de millions d'êtres déshérités, affamés ou opprimés. Dans le récit de la

Pentecôte de Jérusalem, le « violent coup de vent » qui ébranla la maison (Ac 2, 2) signale l'impulsion décisive que Dieu donna ce jour-là au groupe timoré des disciples rassemblés en ce lieu. Les voici emportés vers le large, transformés, décidés à affronter tous les obstacles, témoins intrépides du Ressuscité jusqu'aux confins de la terre.

C'est aussi la présence rayonnante et agissante de Dieu qu'évoque le symbolisme du feu, depuis le buisson ardent (Ex 3, 2) jusqu'à l'éblouissement de la Transfiguration (Mc 9, 2-10) en passant par la colonne de feu et la nuée conduisant les Hébreux (Ex 13, 21-22) ou les flamboiements du mont Sinaï (Ex 19, 16). Jésus déclare être venu pour « répandre le feu sur la terre » (Lc 12, 49) et « baptiser dans l'Esprit Saint et le feu » (Mt 3, 11). Il n'est donc pas étonnant que le livre des Actes symbolise par des langues de feu la puissance de l'Esprit communiquant le don de parler en langues nouvelles.

L'expérience nous enseigne, hélas! que la double symbolique du souffle et du feu peut s'inverser par notre faute. Au lieu de libérer, de vivifier et d'entraîner, le souffle peut dégénérer en ouragan dévastateur, semant la violence et le malheur. Le feu, qui éclaire, réchauffe et purifie, peut se muer en fléau destructeur, spécialement sous la forme horrible des armes de guerre. La grâce qu'il nous faut demander en ce jour de fête, c'est que notre monde essoufflé et frileux connaisse une nouvelle Pentecôte. Permettrons-nous au souffle créateur de Dieu de renouveler la face de la terre? Témoignerons-nous du feu de son amour au point de rendre notre vie commune non seulement possible, mais chaleureuse et enrichissante?

Dieu est Esprit

La confession de foi que les catholiques proclament à la messe du dimanche pose le problème d'une certaine « inégalité » entre les trois personnes de la sainte Trinité. Chacun sait ce que sont un père et un fils ainsi que leurs relations mutuelles. Le croyant n'est donc pas pris au dépourvu lorsqu'il exprime, après vingt siècles de tradition chrétienne, sa foi en Dieu Père et en Jésus, Fils de Dieu. Mais le Saint-Esprit? Dire que l'on croit en Dieu Esprit, n'est-ce pas répéter une formule creuse, sans repères dans l'expérience humaine, un mot abstrait que ne soutient aucune image et que nul visage ne vient éclairer?

La difficulté est réelle. Il convient toutefois de rappeler que, dans l'économie de la foi chrétienne, le Saint-Esprit ne représente pas une divinité à part. Au même titre que le Père et le Fils, et en communion avec eux, l'Esprit n'est autre que le Dieu unique et vivant, un Dieu qui aime le monde sans se confondre avec lui. Dans l'Ancien Testament, antérieur à la représentation chrétienne de Dieu Père et Fils, l'Esprit de Dieu est à l'œuvre dans la création. Il guide Moïse et les prophètes, et il reposera sur le Messie, l'élu du Seigneur. C'est là une manière de parler de l'agir de Dieu lui-même telle qu'on la retrouvera aussi dans le Nouveau Testament, notamment dans les écrits de Paul et de Luc.

En réalité, Dieu Esprit Saint n'est pas plus étranger à notre vie que Dieu Père ou Dieu Fils. Selon la Bible hébraïque, l'homme est à la fois chair visible (*bâsâr*), âme végétative (*nèfèsh*) et esprit-souffle (*roûah*). Alors que la chair et l'âme caractérisent tous les vivants, l'esprit est le signe distinctif de l'être humain : à la fois ce qui le fait vivre en tant qu'homme et ce qui le rattache à un titre particulier au Créateur. L'esprit est le souffle divin qui anime le corps vivant et qui, à la mort de celui-ci, fait retour à Dieu. Remettre son esprit entre les mains de Dieu, c'est — pour l'homme — rendre au Créateur le don précieux qu'il a reçu de lui pour la durée de son parcours terrestre.

Cette vision de l'homme aide à déchiffrer l'énigme humaine bien mieux que la représentation grecque, qui conçoit l'homme comme un composé provisoire de corps (corruptible) et d'âme (immortelle). Pendant son sommeil ou en cas de perte de conscience, voire en état de mort cérébrale, un homme est physiologiquement vivant. La chair et l'âme végétative accomplissent leurs fonctions vitales, mais l'esprit ne remplit pas son rôle spécifique, humanisant et personnalisant. À l'inverse, un corps fatigué, usé par l'âge ou la maladie, peut être littéralement transfiguré par l'activité de l'esprit. De même, on peut dire par mode d'analogie qu'un groupe vaut par l'esprit qui l'anime : il y règne un bon ou un mauvais esprit. Autres expressions courantes : une conversation privée d'esprit a la fadeur d'un plat non assaisonné; une entreprise ou une organisation perd sa raison d'être lorsque l'esprit de ses fondateurs la déserte, etc. Le mot esprit signale tantôt l'absence, tantôt la présence de quelqu'un. L'absence, quand l'attention ne porte pas sur la visibilité corporelle de la personne; la présence, en ce sens que l'esprit désigne l'intention profonde du sujet, sa personnalité et son projet essentiel. Bref, l'esprit et la personne ne font qu'un au cœur d'un réseau relationnel qui implique d'autres sujets-personnes.

Autant dire que rien n'est plus *réel* que cette donnée immatérielle que nous appelons l'esprit. En Dieu, c'est l'Esprit Saint qui est l'agent relationnel par excellence. C'est lui qui nous fait comprendre qui est Dieu (Rm 8, 26-27). « Il est bon pour vous que je m'en aille, déclare Jésus à la veille de sa passion; en effet, si je ne m'en vais pas, le

Défenseur ne viendra pas à vous. Si, au contraire, je m'en vais, je vous l'enverrai. Lui, l'Esprit de vérité, vous conduira vers la vérité tout entière » (Jn 16, 7-13). Il ne s'agit donc pas d'opposer le réel à ce qui serait « purement spirituel » et donc non vraiment réel. C'est ainsi qu'un langage malencontreux a réservé la « réalité » de la présence du Christ à son mode sacramentel dans la célébration eucharistique, qualifiant de « purement spirituels » ses autres modes de présence. Une telle distinction n'a pas de sens, puisque c'est l'Esprit Saint qui crée, dans toute sa réalité, la présence eucharistique du Christ. Dans le domaine des relations que Dieu établit avec les hommes, il n'est pas d'autre réalité que « spirituelle », c'est-à-dire opérée par Dieu lui-même.

Voilà pourquoi il peut être gênant de trop insister sur l'autonomie du Saint-Esprit par rapport à Dieu. Peut-être le concept de « personne » appliqué à l'Esprit est-il en partie responsable de cette ambiguïté, d'autant que ce terme a acquis au cours des siècles une densité très forte, faisant de la personne un centre indépendant d'activité et d'attribution. Il paraît aujourd'hui de plus en plus difficile de parler d'une « personne » divine sans désigner par là un sujet réellement séparé. Pourquoi ne nous contenterions-nous pas du langage de l'Écriture, qui ignore le vocabulaire technique du dogme trinitaire? Selon l'évangile de Jean, l'Esprit de vérité assure en nous la mémoire vive des enseignements de Jésus. Que demander de plus?

Babel à l'envers

Entre la table des nations issues des rescapés du déluge et la généalogie d'Abraham, le livre de la Genèse insère le fameux épisode de la tour de Babel (11, 1-11). Établis dans la vallée de Shinéar, les descendants des fils de Noé entreprennent d'y édifier une ville, avec une tour « dont le sommet touche le ciel ». L'objectif qu'ils poursuivent est d'affirmer leur « nom », autrement dit une puissance et une domination souveraines. Mais le Créateur, ayant discerné l'orgueil démesuré qui inspire cette folle entreprise, décide de la briser net. Il brouille le langage des hommes, de telle sorte que ceux-ci ne se comprennent plus, interrompent le chantier de la ville et se dispersent sur toute la surface de la terre. Voilà pourquoi la cité inachevée, avec son gratte-ciel en construction, reçoit le nom de Babel. En réalité, Babel signifie « Porte de Dieu » ou « Porte du ciel ». Mais, pour humilier la fière Babylone, le narrateur biblique fait appel à une étymologie populaire fort improbable : le nom de Babel dériverait de la racine *bâlal*, confondre, troubler, embrouiller. Ainsi, Babel-Babylone, capitale d'un empire millénaire, ne serait qu'un colosse aux pieds d'argile, la métropole de la discorde et de la confusion.

Alors que l'échelle de Jacob (Gn 28, 12-17) est une « porte du ciel » ouverte à l'initiative du Dieu de l'Alliance, le projet d'escalade des bâtisseurs de Babel apparaît comme un défi insensé, un péché collectif de démesure qui cherche à forcer l'entrée du ciel. C'est cette faute qui expliquerait la multiplicité des langues et des cultures, la dispersion des peuples ainsi que la mésentente durable régnant parmi les hommes. Une civilisation, si brillante soit-elle, sombre dans le chaos si elle oublie les limites de l'humaine condition. Dieu ne peut que châtier une telle prétention. En fait, le péché d'orgueil réside dans la tentation qu'éprouve l'homme d'assurer son salut par ses propres moyens. L'unité du langage symbolise aussi l'impérialisme politico-religieux qui pousse certaines nations à en asservir d'autres. Dans les temps modernes, cette dérive est illustrée par l'ostracisme dont furent frappées les langues et les cultures qui n'avaient pas réussi à accaparer le pouvoir. Les détenteurs des cultures « nationales » clouèrent au pilori les groupes « provinciaux » et leurs « patois ». Une autre illustration est fournie par le rôle oppressant que les régimes autoritaires assignent à la propagande politique.

Ce que l'épisode de Babel considère comme un châtiment divin, le récit de la Pentecôte (Ac 2, 1-13) le présente sous l'angle d'un don de l'Esprit Saint capable de guérir l'homme de sa démesure. C'est l'orgueil humain qui a provoqué la confusion des langues; c'est le souffle réconciliateur de Dieu qui fait de la diversité des langues un signe de richesse et de communion. Voici, réunis à Jérusalem, des pèlerins « originaires de toutes les nations qui sont sous le soleil », c'est-à-dire des gens qui parlent des langues différentes. Or le livre des Actes note à deux reprises qu'à la suite de l'effusion de l'Esprit chacun, dans la foule, entendit les apôtres « parler sa propre langue ». Déconcertés, émerveillés, ils s'écrient : « Ceux qui parlent ne sont-ils pas tous Galiléens? Comment se fait-il que chacun de nous les entende parler sa langue maternelle? Tous, nous les entendons annoncer dans nos langues les merveilles de Dieu! »

Loin d'enfermer, l'Esprit ouvre. Il manifeste la générosité du Créateur dans la chatoyante diversité de ses dons. À l'uniformité, synonyme d'alignement obligatoire et d'ennui stérile, le souffle de la Pentecôte appose la bonne et joyeuse nouvelle d'une concertation jamais achevée qui tire sa richesse des différences inscrites dans la création et dans l'inventivité des hommes. Il dépend de notre faculté d'enthousiasme et de partage que la diversité cesse d'être source de confusion pour devenir promesse de vie et de joie.

Pour autant, l'avertissement du vieux récit de Babel ne mérite pas d'être rangé au musée des accessoires. Nous savons bien que les langues, qui nous servent à informer, à apaiser, à dialoguer, à chanter et à prier, deviennent trop souvent des outils d'incompréhension, sinon des véhicules de mensonge et de haine. Ceux qui détiennent le savoir et le pouvoir — et nos technocrates sont conscients de posséder l'un et l'autre — se retranchent volontiers derrière un jargon incompréhensible. Mais il y a aussi ceux qui, parlant comme tout le monde, ne se font pas comprendre de leurs interlocuteurs parce qu'ils habitent une autre planète, prisonniers de leurs préjugés ou de leurs partis pris idéologiques. Dans l'Église, on se plaignait naguère du style impénétrable des documents hiérarchiques. Aujourd'hui, le langage éclate également à la base, donnant naissance à une multitude d'idiomes et de discours parallèles. Les arguments des uns deviennent opaques aux yeux des autres, si bien que certains groupes refusent de participer à des rencontres plus larges sous prétexte qu'on y perd son temps faute d'un consensus suffisant au point de départ.

La grâce de la Pentecôte réside avant tout dans l'examen de conscience qui s'impose à chacun de nous. Mes engagements et mon langage s'inspirent-ils suffisamment de ce que l'Écriture nous dit de l'action de l'Esprit Saint dans le monde et dans le cœur des hommes? Est-ce que j'évalue positivement la prodigieuse diversité culturelle et spirituelle de l'humanité? Ai-je le souci de favoriser selon mes moyens l'échange et le dialogue pacifiques au lieu de cultiver le fantasme d'une vérité et d'une unité instituées? Nous ne vaincrons le syndrome de Babel et la confusion qui l'a sanctionné qu'en repartant inlassablement et fraternellement à la recherche de la vérité et de l'unité que nous ne découvrirons qu'au bout du chemin. Le pari de la Pentecôte, c'est que chacun puisse comprendre « dans sa langue » le message universel de l'amour et de la solidarité.

Faire la vérité

Face au déferlement quotidien d'informations diverses et souvent contradictoires, on se demande qui dit vrai et, plus fondamentalement, si l'idée de vérité conserve de nos jours un minimum de validité. Faute de pouvoir atteindre la vérité en soi, ne sommes-nous pas contraints de nous satisfaire des vérités partielles et provisoires qui nous sont accessibles? Chacun établit et défend sa part de vérité, ou celle de sa chapelle, tout en se dispensant d'examiner la vérité propre à d'autres individus ou à d'autres chapelles. L'incertitude est d'autant plus vive en ce domaine que le mot « vérité » revêt des sens bien différents : accord de la pensée avec le réel, cohérence interne d'un discours, authenticité, bonne foi, efficacité d'une parole destinée à convaincre, etc. Dans ces conditions, ne vaudrait-il pas mieux s'en tenir à l'interrogation désabusée de Pilate face à Jésus déclarant être venu dans le monde pour rendre témoignage à la vérité : « Qu'est-ce que la vérité? » (Jn 18, 38)?

Pourtant, l'évangile de Jean, qui rapporte cette réplique, affirme à plusieurs reprises que la vocation la plus haute de l'homme consiste à chercher la vérité. Encore faut-il restituer au langage biblique sa vigueur originelle. Chez les Sémites, la vérité désigne, non une notion intellectuelle, mais une qualité dynamique et morale. Le mot hébreu *èmèt* (d'où notre « Amen » liturgique) évoque une réalité sûre, la stabilité, la constance, la fidélité. Est vrai ce sur quoi l'homme peut s'appuyer avec une entière confiance. Dire qu'une parole est la vérité, c'est exprimer la conviction que ce qu'elle énonce s'accomplit ou s'accomplira réellement. À l'égard d'Israël et de toute l'humanité, Dieu fait preuve d'une constance et d'une fidélité sans faille; sa parole est vraie en ce sens qu'elle se réalise et que l'homme peut fonder sur elle son existence.

Dans l'évangile de Jean, la vérité n'est autre que la réalité du salut advenue en Jésus, le Verbe de Dieu fait homme. Rendre témoignage à la vérité, c'est confesser que le Père parle et agit effectivement par son Fils. Avant sa mort, Jésus annonce à ses disciples la venue d'un « Défenseur » que Jean appelle aussi « l'Esprit de vérité » (14, 17; 15, 26; 16, 13). Celui-ci aura pour mission principale de faire découvrir aux disciples le vrai sens des paroles du maître et, par là, de les conduire vers toute la vérité. Découverte qui embrasse toute la vie du croyant, comme le suggère cette parole de Jésus : « Celui qui fait la vérité vient à la lumière pour que ses œuvres soient manifestées » (Jn 3, 21). Or l'expression « faire la vérité » — qui se retrouve aussi dans la première épître de Jean (1, 6) — qualifie dans le judaïsme un comportement conforme à la Loi, autant dire à la volonté de Dieu.

La Pentecôte est par excellence la fête de l'Esprit de vérité, lequel nous est donné pour que, jour après jour, nous apprenions à « faire la vérité ». Spontanément, nous entendons par là le devoir de véracité et la fidélité à la parole donnée. « Quand vous parlez, déclare Jésus, dites oui ou non, tout le reste vient du Malin » (Mt 5, 37). On peut aussi rappeler ici ce très beau commentaire de saint Paul : « Notre parole pour vous n'est pas à la fois oui et non. Car le Fils de Dieu, le Christ Jésus, n'a pas été oui et non, mais il n'a jamais été que oui. Et toutes les promesses de Dieu ont trouvé leur oui dans sa personne » (2 Co 1, 18-20). Faire la vérité, c'est dire vrai et c'est être vrai, non selon les apparences, mais en toute sincérité, devant l'Esprit de vérité et devant les hommes.

Le verbe « faire » peut éclairer utilement notre chemin quotidien. Faire, c'est passer à l'acte, s'exposer, prendre des risques — au lieu de se complaire dans des discours oiseux ou la critique de ceux qui agissent. L'action est maîtresse de vie parce qu'elle enseigne la modestie et la patience. La marque de la vraie sagesse, c'est l'humilité de l'esprit. L'univers, la nature, l'histoire des hommes et le cœur de chacun sont autant d'énigmes qui nous dépassent et dont nulle intelligence créée ne détient les clés.

Si la vérité est à faire, cela signifie aussi qu'elle n'est pas donnée d'avance, parfaite et intouchable. Nous ne pouvons la faire qu'ensemble, à travers les cheminements divers où s'engagent les hommes. Avec d'autres, qui se veulent eux aussi artisans et témoins de la vérité, nous édifions une maison commune, aussi habitable et fraternelle que possible.

Enfin et surtout, faire la vérité, c'est imaginer, inventer, créer des espaces de liberté, de partage et de réconciliation, car l'Esprit de la Pentecôte souffle où il veut. Nous passons une bonne partie de notre temps à nous plaindre du monde où nous vivons — un monde violent, injuste, cupide et hypocrite. Et si nous décidions de semer les germes d'un monde différent, un monde où la règle du jeu ne serait plus le conflit impitoyable des intérêts et des pouvoirs, mais cette vérité qui, selon la parole de Jésus, « fera de nous des hommes libres » (Jn 8, 32)? De cet engagement, il existe une pierre de touche et un test. Si c'est l'Esprit de vérité qui inspire nos projets et nos actes, nous produirons les fruits qu'énumère l'apôtre Paul : « Amour, joie, paix, patience, bonté, bienveillance, fidélité, douceur et maîtrise de soi » (Ga 5, 22-23).

Les trois Pentecôtes

Notre fête annuelle de la Pentecôte commémore l'effusion de l'Esprit Saint survenue à Jérusalem cinquante jours après la résurrection de Jésus. Les Actes des apôtres, qui rapportent l'événement (2, 1-13), précisent que des juifs issus de toutes les nations en furent les témoins éblouis et déconcertés. Le discours de Pierre qui fait suite au récit s'adresse aux « hommes de Judée » et se réfère explicitement à l'Écriture hébraïque. Quant aux bénéficiaires immédiats du don de l'Esprit — les Onze, auxquels vient de s'adjoindre Matthias —, ils font, à l'évidence, penser aux douze tribus d'Israël.

Or la Pentecôte juive, appelée à l'origine « fête de la moisson » ou « fête des semences », en était venue au fil des siècles à rappeler le souvenir de l'Alliance du Sinaï ainsi que le don de la Loi à Moïse. Aux yeux des premiers chrétiens, le « cinquantième jour » après Pâques apparaissait dès lors comme une sorte de réplique des événements fondateurs du peuple élu. L'irruption du Saint-Esprit au cœur de la ville sainte faisait tout naturellement de cette journée la Pentecôte chrétienne des Juifs. C'est en effet aux habitants de Jérusalem et aux Israélites de la Diaspora présents dans la cité que Pierre déclare : « Dieu a ressuscité Jésus, nous en sommes témoins. Élevé à la droite de Dieu, il a reçu du Père l'Esprit Saint promis et il l'a répandu, comme vous le voyez et l'entendez. Que toute la maison d'Israël le sache avec certitude : Dieu l'a fait Seigneur et Christ, ce Jésus que vous, vous aviez crucifié » (Ac 2, 32-36).

Bientôt, la communauté de Jérusalem subit une persécution qui la dispersa dans les campagnes de Judée et de Samarie. Ce fut l'occasion pour Philippe, l'un des Sept institués par les Douze pour le service des tables, de proclamer l'Évangile dans une ville de Samarie. Apprenant que cette région avait accueilli la parole de Dieu, les apôtres restés à Jérusalem y dépêchèrent Pierre et Jean. Aux Samaritains déjà baptisés au nom du Seigneur Jésus, Pierre et Jean imposèrent les mains, et c'est alors qu'ils reçurent l'Esprit Saint (Ac 8, 14-17). Voilà des « étrangers », suspects d'hérésie au regard de l'orthodoxie juive, qui faisaient à leur tour l'expérience d'une manifestation de l'Esprit. Après la Pentecôte des Juifs, celle des Samaritains accentuait l'ouverture aux autres de l'Église naissante.

Le livre des Actes raconte encore une troisième expérience de même nature. À la suite de deux visions, signes d'une incitation divine, Pierre se rendit de Joppé à Césarée, où l'attendait le centurion romain Corneille. L'apôtre comprit alors que « Dieu n'est point partial : en toute nation, quiconque le craint et pratique la justice lui est agréable » (Ac 10, 34-35). Pendant que Pierre parlait, l'Esprit Saint tomba sur ses auditeurs, et cela avant même qu'ils aient reçu le baptême. « Ainsi, conclut le narrateur, le don de l'Esprit était maintenant répandu jusque sur les nations païennes, car ils entendaient ces gens parler en langues et magnifier Dieu » (Ac 10, 45-46). À la Pentecôte des Juifs et à celle des Samaritains succédait à présent la Pentecôte des Gentils, accomplissant symboliquement la mission que le Ressuscité avait confiée à ses disciples. « Vous allez recevoir une puissance, celle du Saint-Esprit qui viendra sur vous. Vous serez alors mes témoins à Jérusalem, dans toute la Judée et la Samarie et jusqu'aux extrémités de la terre » (Ac 1, 8).

Tout se passe comme si la triple Pentecôte des origines avait porté l'Église des apôtres sur les fonts baptismaux. Son ouverture progressive aux autres — à tous les autres — s'enracinait dans le dessein de Dieu révélé par Jésus et devait être sa marque distinctive tout au long des siècles. Le don de l'Esprit Saint n'était pas réservé à un groupe de privilégiés. Dieu le destinait à la famille humaine tout entière. Cela revient à dire que l'Église n'est pas à elle-même sa propre fin. L'Esprit qui la suscite l'entraîne dans le sillage de son Maître et Seigneur, le Fils envoyé dans le monde pour être le Serviteur de tous. Le service de tous : telle est la mission première de l'Église sous la mouvance de l'Esprit.

Il semble bien, au surplus, que les trois Pentecôtes décrites par le livre des Actes revêtent une portée prophétique pour notre temps. Tout commence par la Pentecôte de Jérusalem, c'est-à-dire par la nécessaire rénovation de notre vie de foi à l'intérieur de la communauté à laquelle nous appartenons. Catholiques, orthodoxes et protestants, nous avons — les uns et les autres — des raisons d'appeler de nos vœux et de nos prières la grâce d'une conversion collective au sein de nos traditions respectives. On a pu dire que le concile Vatican II (1962-1965) fut une Pentecôte pour l'Église de Rome. Soit, mais qu'en est-il aujourd'hui? L'image évangélique d'une Église servante et pauvre a-t-elle réellement pris corps dans les décennies qui ont suivi le concile?

La Pentecôte au pays de Samarie symbolise de manière frappante l'exigence œcuménique qui travaille le monde chrétien depuis près d'un siècle. Chrétiens de diverses obédiences, ne sommes-nous pas des « Samaritains » les uns pour les autres, « déjà baptisés » certes, mais qui se traitent mutuellement de schismatiques sinon d'hérétiques? La commune reconnaissance du baptême conféré dans nos Églises est une avancée notable. Mais force est de constater que nous tardons à en tirer toutes les conséquences. Une nouvelle Pentecôte est nécessaire si nous voulons surmonter les rancunes et les arrière-pensées qui continuent à nous diviser.

Reste la Pentecôte de Césarée, celle qui touche des non-baptisés, étrangers jusque-là au message d'Israël aussi bien qu'à l'annonce de l'Évangile. Croyons-nous vraiment que l'Esprit de Dieu agit dans le cœur de tous les hommes? Les Pères de Vatican II, eux, le croyaient, comme en témoigne le *Décret sur l'activité missionnaire de l'Église*. On peut y lire : « Parfois, le Saint-Esprit prévient visiblement l'action apostolique » (n° 4). Ou encore : « Il n'est pas rare que l'Esprit précède l'action de ceux à qui il appartient de gouverner la vie de l'Église » (n° 29). Voilà ce que Pierre avait découvert dans la maison du centurion Corneille et qui devrait changer pour de bon le regard que nous portons sur les « Gentils » de notre temps.

Des clones et des hommes

Apparue en 1997, Dolly est sans doute la brebis la plus célèbre de tous les temps. Grâce à une équipe de savants écossais, elle est la première à être venue au monde sans accouplement, à partir d'une cellule prélevée sur la glande mammaire d'une brebis adulte. L'homme a donc réussi à « fabriquer » un vertébré supérieur en tous points identique à un autre individu, et cela en court-circuitant les lois naturelles de la fécondation et de la reproduction.

Comment faut-il qualifier ce coup d'éclat biotechnologique? Les uns y voient un tournant historique comparable à ce que furent en leur temps la révolution copernicienne ou la fission de l'atome. D'autres, évoquant d'emblée un possible clonage d'êtres humains, agitent le spectre de l'apprenti sorcier qui, cette fois, aurait abdiqué tout sens moral et s'apprêterait à livrer l'humanité à ses pires démons.

Des esprits plus posés s'efforcent d'évaluer l'ensemble des perspectives que peut ouvrir la naissance de Dolly. Tout en excluant l'application à l'homme de ce type de manipulation, ils en attendent des retombées bénéfiques qui ne sauraient nous laisser indifférents. Compte tenu de la proximité génétique entre la brebis et l'homme, le clonage des ovins devrait permettre d'établir des comparaisons instructives en matière de nutrition, de pathologie et de pharmacologie. Plus précisément, la nouvelle technique pourrait être exploitée pour produire des médicaments à base de protéines et pour mieux comprendre, non seulement les stérilités et les xénogreffes, mais aussi la genèse de certains cancers.

Ce sont là des promesses que les chercheurs ne manqueront pas de mettre à l'épreuve. Les inquiétudes n'en demeurent pas moins quant à l'éventualité d'une extension du clonage à l'homme, et cela pour deux raisons principales. D'une part, il n'est pas d'exemple dans l'histoire des hommes où ceux-ci aient jamais résisté à la tentation de réaliser ce qui était scientifiquement ou techniquement réalisable. L'attrait du fruit défendu est plus fort que les barrières morales les plus fondamentales. D'autre part, les interdits législatifs que l'Occident s'efforce d'opposer à ce genre de pratiques n'offrent qu'un rempart bien dérisoire, comme en témoigne le difficile combat pour la prohibition des mines antipersonnel. Le généticien J. Testart n'a pas hésité à déclarer : « En l'absence d'une règle éthique à l'échelon de l'humanité, rien n'empêchera quelqu'un d'aller se faire cloner en Asie. »

En ce qui le concerne, le chrétien ressent perplexité et malaise devant la forte charge symbolique qui s'attache à la fabrication de la brebis écossaise. Le clonage des vivants n'annonce-t-il pas l'intrusion du standard industriel de la production en série dans un domaine que régissaient jusqu'ici la spontanéité, la gratuité et la diversité? Or le message de la Pentecôte dénonce, précisément, le culte glacé de l'uniformité et de la morne répétition. Il rend hommage à la profusion bariolée, féconde et admirablement différenciée, qui caractérise le monde vivant ainsi que les œuvres de l'intelligence et de l'amour. Oui à la science qui rend possibles de nouvelles thérapeutiques, mais non à des manipulations qui défigurent la création en la faisant passer sous les fourches caudines de la productivité de masse. En passant de la brebis à l'homme, la biotechnologie entrerait par effraction dans le sanctuaire de la liberté et du mystère personnel. De quel droit, et avec quelles conséquences? Chaque personne a un droit inviolable à son autonomie et à son intimité. Les dictatures sanglantes du siècle dernier ont trop sauvagement violé ces principes pour que nous manquions aujourd'hui de prudence face à des périls qui, tout en étant d'une autre nature, n'en menacent pas moins l'intégrité de l'être humain.

Chrétiens, nous serons d'autant plus crédibles dans notre opposition au clonage humain que nous vivrons, individuellement et collectivement, de l'esprit de la Pentecôte. Avec d'autres, il nous appartient par exemple de dénoncer les graves dangers que fait peser sur l'avenir de la planète la réduction drastique — du fait de l'intervention humaine — du nombre d'espèces végétales et animales à la surface du globe. Préserver la biodiversité, c'est apporter une contribution majeure à la qualité de la vie et de l'environnement. L'esprit de la Pentecôte nous incite aussi à accueillir le plus positivement possible la différence de l'autre et à nous réjouir de la richesse que représente, dans l'Église comme dans la société, la multiplicité des visages et des talents. Une approche pentecostale de l'unité chrétienne s'oppose à tout alignement sur un modèle unique. À la différence du catholicisme, centralisateur et volontiers réducteur, la catholicité accepte le défi de la diversité culturelle et théologique. L'Église née de la Pentecôte doit pouvoir rassembler sans les dénaturer les peuples, les langues, les sensibilités et les spiritualités qui s'alimentent à une même source : la parole de Dieu faite homme en Jésus le Christ.

On cherche des témoins

La figure de Jésus de Nazareth continue d'intriguer ou de fasciner un très nombreux public, bien au delà des limites des Églises chrétiennes. Les études savantes alternent avec des essais et des œuvres romanesques, sans compter les films et les émissions télévisées. Des auteurs d'horizons différents s'interrogent sur la valeur historique des données du Nouveau Testament concernant Jésus. Que savons-nous exactement de cet homme? Quel crédit peut-on accorder aux récits évangéliques et aux paroles de Jésus qui y sont insérées? Comment les historiens non chrétiens, anciens et modernes, voient-ils le prophète galiléen?

Du point de vue de la foi elle-même, ces questions sont non seulement légitimes, elles sont nécessaires. Jésus, en qui ses disciples ont reconnu le propre Fils de Dieu, est aussi l'un des rares personnages de l'histoire qui ont imprimé à l'aventure humaine une marque indélébile. En ce sens, il appartient à tous les hommes, historiens ou non. La science historique doit pouvoir examiner en toute liberté la trace qu'a laissée son passage sur terre. Il serait néanmoins regrettable qu'une telle enquête se borne à une investigation étroitement biographique. Car enfin, le destin du Nazaréen a ceci de particulier qu'il ne s'achève pas avec sa mort. Trois jours après le drame du Golgotha, une nouvelle étape commence qui s'inscrit, elle aussi, dans l'histoire de l'humanité. Pourquoi faudrait-il dénier la qualité de séquence historique à l'activité débordante déployée par les apôtres au nom, précisément, de leur expérience pascale? Même si cette dernière échappe comme telle à l'analyse historique, ne faut-il pas prendre acte de ce que les Allemands appellent la *Wirkungsgeschichte* de cet événement, c'est-à-dire des effets qu'il a produits et qui, eux, sont amplement attestés? Par ailleurs, comment ne pas être frappé par la continuité foncière qui relie la vie des premières communautés chrétiennes à l'enseignement et à l'action de l'homme Jésus? De toute évidence, c'est le témoignage rendu au Christ ressuscité qui, plus que l'existence terrestre de Jésus, va changer le cours de l'histoire.

Ce tournant est illustré par la Pentecôte de Jérusalem telle que la raconte le livre des Actes. Avant l'effusion de l'Esprit, les disciples se cachent, paralysés par la peur. La fin ignominieuse de leur maître a brutalement dissipé l'enthousiasme des mois passés. Et voici que l'irruption de l'Esprit — irrésistible comme la tempête, brûlante comme des langues de feu — transforme ces hommes traqués en témoins intrépides, prêts à affronter tous les périls pour accomplir leur mission. Ce qui compte désormais pour eux, c'est la présence du Ressuscité au cœur même des communautés qu'ils suscitent et animent. Toutes leurs énergies sont tendues vers le monde nouveau inauguré par la Pâque du Christ. L'auteur des Actes des apôtres montre que l'acteur principal de cette extension foudroyante n'est autre que l'Esprit de Dieu. Or celui-ci « souffle où il veut », autant dire que, loin de ressasser le passé, il ouvre un avenir tout autre.

Bien avant la rédaction du livre des Actes, Paul de Tarse avait été saisi par l'ouragan de la Pentecôte. À partir de sa conversion sur la route de Damas, il poursuit un unique objectif : annoncer et traduire en actes la bonne nouvelle du Messie crucifié et ressuscité. Paul ne revient pas sur les péripéties de la vie de Jésus, dont il n'a d'ailleurs pas été témoin. Il affirme avoir vu le Christ vivant, et c'est lui, le Ressuscité, qui l'a littéralement « retourné ». Le centre de gravité de son épopée missionnaire sera donc, non l'évocation du passé, mais l'Évangile comme force transformatrice du présent et de l'avenir. Pour Paul comme pour Luc, Pâques et Pentecôte sont inséparables : « Nul ne peut dire "Jésus est Seigneur", si ce n'est par l'Esprit Saint » (1 Co 12, 3).

En ce début du 21e siècle, nous sommes de plain-pied, non pas avec l'homme Jésus à jamais disparu, mais avec les témoins du Ressuscité. Témoins, nous le sommes à notre tour, et d'abord par le baptême et la confirmation. Mais que vaut notre témoignage? De qui et de quoi témoignons-nous? « Chrétiens », nous sommes appelés à faire connaître et aimer le Christ, image vivante d'un Dieu d'amour, ce qui suppose que nous puissions dire, si peu que ce soit, avec l'apôtre Paul : « Je vis, mais ce n'est plus moi, c'est le Christ qui vit en moi » (Ga 2, 20). Consciemment ou non, nos contemporains réclament, non de savants chroniqueurs, mais des témoins convaincants de l'espérance qui les habite. Une espérance respectueuse de la dignité de tout homme, affamée de justice et solidaire des blessés de la vie.

Si le souffle de la Pentecôte continue aujourd'hui à toucher tant d'esprits et de cœurs, c'est grâce à la longue fidélité de ceux et celles qui nous ont transmis le relais du témoignage originel. Quand l'empereur Constantin décida, au début du 4e siècle, de doter l'Église d'un statut officiel, la révolution évangélique avait déjà produit ses meilleurs fruits. Au cours des trois premiers siècles de son existence, le christianisme avait affirmé sa vitalité et son originalité face à l'indifférence ou à l'hostilité des pouvoirs établis. Périodiquement persécutés, les témoins du Ressuscité avaient changé la face du monde par la seule force de l'Esprit agissant en eux.

Voilà pourquoi nous devrions prendre à cœur cette autre recommandation de saint Paul : « N'éteignez pas l'Esprit! » (1 Th 5, 19). La vraie fidélité est faite d'une double ouverture : aux injonctions de l'Esprit, mais aussi aux détresses et aux attentes du monde qui nous entoure. Or il est si facile — et souvent tentant — de se fermer aux unes comme aux autres. Chaque année, la Pentecôte nous invite à briser ce double carcan.

4

Toussaint
Chemin de fraternité

S'IL EST VRAI QUE NOS ITINÉRAIRES DIVERGENT, LE VOYAGE terrestre des humains parcourt néanmoins les mêmes étapes marquantes. Or la liturgie de la Toussaint éclaire la dernière de ces étapes en montrant comment chacune de nos existences est appelée à s'accomplir sous le regard de Dieu. Ce qui retient spécialement l'attention, c'est la vision grandiose conçue par l'auteur de l'Apocalypse : une foule immense, de toutes nations, races et langues, rassemblée devant le trône de Dieu et devant l'Agneau. Et cette foule proclame : « Le salut est donné par notre Dieu » (Ap 7, 10).

Le message de la Toussaint ne distille ni angoisse ni vaine nostalgie. Il fait penser à l'alpiniste qui affronte avec assurance les difficultés de l'ascension parce qu'il a l'avant-goût de l'ivresse des sommets. On peut dire aussi que nous sommes invités à faire nôtre la confiance sereine des pèlerins qui endurent les fatigues de la route parce qu'ils savent que leurs attentes seront comblées. À mi-chemin entre les feux de l'été et les rigueurs de la saison froide, le sourire apaisé de l'automne enseigne l'espérance, alors même que se multiplient les signes de l'universelle précarité.

À l'instar de la nature, qui est notre bien commun, la fête de tous les saints — qui apparut dans la chrétienté occidentale à l'époque carolingienne — ouvre un chemin de fraternité. Le 1er novembre, nous n'honorons pas telles ou telles figures d'exception qui, à force de pieux superlatifs, deviennent inimitables pour la majorité des croyants. La lecture évangélique de la Toussaint proclame les Béatitudes. Or celles-ci s'adressent préférentiellement aux petits et aux laissés-pour-compte : les pauvres, les affligés, les affamés de justice, les opprimés et les persécutés. Tous ceux-là sont assurés d'appartenir à la grande famille des amis de Dieu. Fraternelle et universelle, cette parole de Jésus met en lumière les gestes les plus obscurs et les destinées les plus humbles. La communion des saints n'est pas l'apanage d'une soi-disant élite. Ouverte aux fidèles anonymes, elle englobe aussi, mystérieusement, les hommes et les femmes de bonne volonté qui n'appartiennent à aucune Église et dont Dieu seul connaît la droiture.

Vivante solidarité

À l'âge de la mondialisation, nous prenons mieux conscience de l'ampleur des problèmes qui défient désormais la famille humaine, forte de près de six milliards d'individus. Pris de vertige, l'homme du nouveau millénaire mesure la dimension collective du devenir de la planète en même temps que les responsabilités nouvelles qui incombent aux uns et aux autres du fait des techniques modernes.

Cette perception globale de l'avenir ne disqualifie-t-elle pas le sens du mystère personnel qui habite chacun de nous? Le risque existe si nous oublions que l'humanité n'est pas un agrégat d'éléments disparates et interchangeables, mais un corps vivant, riche des apports particuliers des personnes et des groupes qui le composent. L'histoire des peuples et des civilisations est faite de la prodigieuse diversité des destinées singulières, avec leurs rêves, leurs réalisations et leurs détresses.

Or, depuis le Moyen Âge, une certaine spiritualité chrétienne a, du moins en Occident, privilégié l'aspect individuel du salut au détriment de ses enjeux sociaux et communautaires. En réalité, c'est toute la création, et notamment l'ensemble du genre humain, que le Dieu de la Bible appelle à l'existence et à la rédemption. Dès lors, la sainteté n'est rien d'autre qu'une réponse appropriée au dessein d'amour du Créateur. Elle ne peut donc être conçue comme la performance (vertueuse ou héroïque) d'un sujet isolé. Chrétiens, nous croyons à la « communion des saints » et nous qualifions de « sainte » l'Église tout entière. Ces affirmations signifient que la grâce indivisible de Dieu touche l'homme concret en tant qu'être social et solidaire. De même que le mal et le péché affectent collectivement tous les hommes, de même l'agir de Dieu s'attache à guérir et à réconcilier le monde humain dans sa texture intersubjective et sociale.

C'est cette solidarité réconciliée que nous fêtons le jour de la Toussaint. Il ne s'agit pas tant d'honorer des personnages exceptionnels que de rendre grâce à Dieu pour la vocation commune et universelle qui est inscrite dans le cœur de tous ses enfants. Nul ne saurait prétendre se sauver soi-même. Pour le meilleur comme pour le pire, le sort de chacun de nous dépend mystérieusement de celui de nos compagnons de vie et de route. Nous devons tout faire pour que la solidarité constitutive de l'espèce devienne une communion vivante et féconde, spécialement soucieuse de ses membres déshérités et souffrants.

De là découlent deux conséquences. D'une part, la communion des saints me rend attentif à tout ce que je dois à autrui, et cela dans tous les domaines : physique, matériel, culturel et spirituel. Cette interdépendance caractérise d'abord les rapports que j'entretiens avec mes ascendants et mes proches, mais elle ne s'y cantonne pas. J'ai une dette de reconnaissance à l'égard des générations et des peuples qui, à travers les siècles, ont engendré l'humanité que nous connaissons. Et parce que Dieu échappe à nos limites temporelles, nous croyons qu'il rassemble dans sa tendresse et sa miséricorde ses enfants d'hier, d'aujourd'hui et de demain.

D'autre part et réciproquement, je dois me demander comment je vis concrètement, au quotidien, cette vivante solidarité à laquelle je dois tant. Ai-je une conscience suffisamment vive de ce que les autres sont en droit d'attendre de moi, et cela en dépit (ou en raison) de mes propres insuffisances? Cette interrogation doit s'appliquer avec une particulière acuité aux rapports entre le monde développé, auquel nous appartenons, et les peuples pris dans la spirale de la misère et de la violence. Il va de soi que le partage spirituel n'est crédible que s'il s'accompagne d'une solidarité active en matière économique, sociale et sanitaire. En ces temps de mutations et d'incertitudes, la foi en la communion des saints incite les chrétiens à bâtir, avec tous ceux qui se mobilisent à cette fin, un monde moins cruel et moins injuste.

Des frères et des sœurs nous précèdent et nous accompagnent dans la voie des Béatitudes, habités par une joie qui, loin de blesser les affligés, les rejoint au cœur même de leur épreuve. Jésus déclare entre autres : « Heureux ceux qui pleurent, car ils seront consolés. » Or notre monde regorge d'hommes, de femmes, d'enfants et de vieillards qui pleurent : de douleur, de solitude, de dénuement. Heureux sont-ils s'ils font de leurs larmes un aveu, un cri, un appel au secours, une protestation, une parole d'espoir capable de réconforter plus malheureux qu'eux. C'est ainsi que Dieu les console : en cheminant et en souffrant avec eux. Dans la communion des saints, Dieu est indéfectiblement solidaire des hommes.

Sainteté diverse et une

Comment se fait-il que certaines figures de saints et de saintes, inscrites depuis des siècles au calendrier de l'Église, « parlent » si peu aux chrétiens d'aujourd'hui? Pourquoi, dans la plupart des cas, l'enracinement et le particularisme culturels des saints limitent-ils à ce point leur rayonnement? C'est que l'idée que les croyants se font de la sainteté est fonction à la fois de l'image de Dieu et de la conception de l'excellence humaine qui caractérisent chaque tradition et chaque situation concrète. En tant qu'êtres de chair et de sang, les saints reflètent les représentations et les aspirations de leur époque et de leur milieu.

Les premiers saints chrétiens étaient les apôtres et les martyrs. L'Église honora spontanément les messagers de la Bonne Nouvelle envoyés en mission par le Sauveur lui-même. Puis les croyants prirent l'habitude de célébrer la mémoire des hommes, des femmes et des enfants qui avaient payé de leur vie leur attachement au Christ. À l'époque des Pères de l'Église, le peuple considérait comme des modèles de vie chrétienne les pasteurs et les docteurs de la foi qui avaient fait de l'Évangile la charte de leur action et de leur enseignement. Plus tard, c'est l'idéal monastique qui marqua de son empreinte la spiritualité des Églises d'Orient et d'Occident. Le Moyen Âge subit l'influence prépondérante des fondateurs ou réformateurs d'ordres et d'instituts religieux orientés vers des tâches plus pastorales. À l'aube des temps modernes, les saints abondèrent parmi les missionnaires, les maîtres spirituels, les éducateurs et les apôtres de la charité. Dans leur immense majorité, ces personnages proposés à la vénération des fidèles étaient des clercs, des moines, des moniales, des religieux ou des religieuses. Les chrétiens béatifiés ou canonisés étaient rarement des laïcs, encore moins des gens mariés.

Depuis lors, la perception de la sainteté a profondément évolué. La sensibilité contemporaine privilégie certains traits particuliers du témoignage évangélique. L'accent porte moins sur les faits miraculeux que sur la sainteté vécue au quotidien. Ce qui nous touche, c'est l'humble cheminement d'une figure de lumière à travers les joies et les épreuves d'une existence ordinaire. On attend des saints et saintes de notre temps, non pas qu'ils multiplient les prodiges ou qu'ils rehaussent le prestige d'une institution, mais qu'ils servent de relais à l'amour de Dieu, spécialement à l'égard des exclus, des pauvres, des malades et des handicapés.

Le respect de la liberté de conscience et des droits de l'homme est désormais inséparable de notre conception de la sainteté. D'où une allergie plus ou moins affirmée à l'encontre des catholiques du passé qui se sont illustrés dans les guerres de religion ou les luttes confessionnelles. En même temps, nous comprenons mieux que la sainteté humaine n'est qu'un reflet de la sainteté de Dieu, si bien que nulle Église ou confession ne saurait s'attribuer le monopole d'un tel trésor. Catholiques, nous devons admettre qu'il existe des « saints » — quel que soit le nom qu'on leur donne — non seulement dans les autres traditions chrétiennes, mais également en dehors du monde chrétien. Quant à la sainteté « laïque » dont nous pouvons être témoins dans notre monde sécularisé, faite de rigueur morale et d'engagement altruiste, nous manquons de repères pour la qualifier en termes théologiques. Les personnes qui vivent un tel idéal méritent, en tout cas, notre respect et notre sympathie.

Diverse et toujours partielle, la sainteté se révèle finalement une en ce sens qu'elle cherche à désigner la plus haute vocation de l'homme, qu'elle soit explicitement rapportée au Dieu de la Bible ou non. Si elle est centrée sur la dignité inaliénable de la personne humaine, l'excellence morale et spirituelle ne peut, à nos yeux, s'opposer à la sainteté de Dieu, puisque celui-ci a créé l'homme à son image et selon sa ressemblance.

Comment expliquer qu'un saint médiéval, François d'Assise, continue de jouir d'une si rayonnante actualité? Cela tient, sans aucun doute, à la qualité du témoignage qu'il rendit en son temps à Jésus de Nazareth. Mais il se trouve en outre que François, le *poverello* d'Assise, sut incarner le visage profondément humain — fraternel, œcuménique, voire écologique — de la sainteté que nous privilégions aujourd'hui. Voilà un homme qui préféra le dialogue à la croisade armée contre l'islam, qui dénonça avec vigueur les abus et les injustices d'une société d'opulence, qui associa à sa quête spirituelle le monde animal et l'ensemble de la création.

La fête de tous les saints illustre l'infinie diversité et l'unité profonde du chemin de la sainteté. Des figures de la trempe de François d'Assise sont capables, aujourd'hui comme hier, de faire découvrir à l'humanité l'étincelle divine déposée en chaque créature. Au cœur de nos sociétés blasées ou désespérées, la sainteté apparaîtra comme une gageure et une aventure. Une provocation? Oui, mais qui pourrait bien s'avérer nécessaire à notre survie commune.

Une nuée de témoins

Dieu appelle chacun de nous « par son nom », mais nul n'est une île. C'est insérés dans divers groupes et dans la totalité du genre humain que nous cherchons à réaliser notre vocation temporelle et éternelle. De même, les envoyés de Dieu se présentent toujours comme les membres ou les initiateurs d'une communauté, d'un mouvement, d'un peuple, d'une Église. La fête de tous les saints nous rappelle annuellement cette dimension collective de l'existence croyante.

Mais que recouvrent pour nos contemporains les mots « saint » et « sainteté »? Dans la Bible, ce vocabulaire s'applique avant tout au mystère de Dieu lui-même, foyer rayonnant d'amour créateur et miséricordieux. Dieu seul est vraiment saint, et il est source de tout ce qui, par analogie, peut être qualifié de saint dans le monde créé. C'est ainsi que le Nouveau Testament nomme saints, non seulement Jésus, le Fils bien-aimé du Père, mais ses disciples, ceux qui conforment leur vie à l'appel du maître. Dans la tradition ultérieure, on prit l'habitude d'appeler « saints » les croyants exemplaires qui méritaient d'être proposés à l'imitation et à la vénération des fidèles.

Il faut cependant reconnaître qu'un tel usage n'est pas dépourvu d'inconvénients. S'il est vrai que le français « saint » traduit correctement la teneur des termes bibliques (hébreux et grecs) correspondants, il dérive néanmoins en droite ligne du latin *sanctus*, qui évoque à la fois le domaine du sacré séparé du monde profane et l'idée de perfection morale ou de pureté rituelle. Il en résulte une conception de la sainteté que le commun des mortels éprouve comme lointaine et inaccessible. Cette impression d'étrangeté est encore accentuée par l'intense activité miraculeuse que la légende dorée attribue aux saints et saintes du calendrier.

Or, pour désigner les amis de Dieu et les disciples de Jésus, l'Écriture use aussi de vocables moins impressionnants, qui nous parlent peut-être davantage et qui, en tout cas, nous rendent les modèles de vie chrétienne plus proches et plus fraternels. Il en est ainsi, notamment, des appellations « juste » et « fidèle », la première mettant l'accent plutôt sur la rectitude de la conduite, la seconde sur la sincérité et la constance de la foi.

Les premiers chrétiens appliquèrent aux futurs saints une autre dénomination biblique, celle de « témoin » (*martus* en grec). Or le témoin n'attire pas l'attention sur lui-même. Il renvoie à quelqu'un d'autre ou à une réalité qui se situe en dehors de lui. Témoigner, c'est transmettre un message venant d'ailleurs mais que l'on fait pleinement sien. Le faux témoin trahit l'essence même du témoignage, tandis que le témoin véridique affronte les risques liés à son engagement. On l'appelle « martyr » lorsqu'il paie de sa vie la fidélité au témoignage dont il était porteur.

Dans l'Apocalypse, Jésus reçoit le beau titre de « témoin fidèle » (1, 5; 3, 14). Après les apôtres, ce sont les martyrs (littéralement : les témoins) qui sont honorés dans l'Église ancienne. En ce jour de la Toussaint, nous gagnerions à méditer un passage de l'épître aux Hébreux, écrit quelque peu méconnu du Nouveau Testament et pourtant si riche de trésors spirituels. Pour expliquer à ses lecteurs ce qu'est la foi, l'auteur présente tout un cortège de croyants dont il rappelle ce qu'ils ont fait en vertu de leur foi : Abel, Noé, Abraham, Sara, Isaac, Jacob, Joseph, Moïse, Samuel, David, les prophètes et les martyrs juifs (chap. 11). Et voici la conclusion de cette élogieuse énumération : « Ainsi donc, nous aussi, entourés d'une telle nuée de témoins, rejetons tout ce qui nous alourdit et d'abord les entraves du péché, armons-nous de patience et courons résolument l'épreuve qui nous est proposée, les yeux fixés sur Jésus, qui est à l'origine et au terme de notre foi » (12, 1-2).

Une nuée de témoins : tels sont les frères et les sœurs innombrables, connus ou inconnus, qui ont accueilli avec confiance la parole de Dieu et se sont efforcés d'y conformer leur vie. Ils nous interpellent sans nous écraser de leur supériorité, tout simplement parce qu'ils ont partagé les difficultés et les incertitudes de la condition humaine. Compagnons des bons et des mauvais jours, ils nous persuadent qu'il est possible — et qu'il vaut la peine — de vivre ici et maintenant de l'esprit des Béatitudes. Par là même, ils nous invitent à rejoindre à notre tour la chaîne des témoins qui, d'une époque à l'autre, parlent et agissent au nom de Celui qui est venu réconcilier les hommes avec Dieu.

Les saints sont-ils démodés?

Les saints du calendrier apparaissent à beaucoup d'entre nous comme des personnages anachroniques, aussi poussiéreux que les statues et les tableaux qui les représentent. Pourtant, des générations de croyants ont trouvé dans la vie et le message des saints une inspiration féconde pour la conduite de leur propre vie. Le renouveau biblique encouragé par Vatican II aurait-il détourné les catholiques de la « légende dorée » qui avait édifié leurs devanciers? Ou bien faut-il croire nos contemporains suffisamment adultes pour se passer de modèles et de héros? Certains l'affirment, mais ce n'est pas du tout ce que l'on constate. Les idoles du sport, de la chanson, du cinéma et de la télévision sont aujourd'hui l'objet d'un véritable culte, avec ses rites, ses engouements et l'incroyable conformisme qu'il engendre. L'emprise des médias sur les esprits est telle que la frontière entre le réel et le virtuel se déplace ou s'efface. En tout cas, ce sont les vedettes médiatiques qui font et défont les modes et les mentalités.

Par ailleurs, il serait faux de penser que les gens ne s'intéressent plus à l'histoire. La télévision aidant, l'intérêt pour les choses et surtout les personnages du passé gagne un public de plus en plus large. Inlassablement, des historiens et des écrivains nous racontent la vie de François Ier, de Louis XIV, de Napoléon ou du général De Gaulle. Une telle curiosité n'est certes pas exempte d'ambiguïtés. Mais on y discerne souvent le désir inconscient de s'identifier à ceux que l'on considère comme de grands exemples. Comment se fait-il que les saints et les saintes ne bénéficient pas du même courant de sympathie?

Il y a d'abord un problème de présentation. Les anciennes « vies de saints » mettaient volontiers l'accent sur les faits merveilleux et les vertus surhumaines. Cela tenait notamment au fait que les biographes n'avaient à leur disposition que des récits légendaires ou les pièces, forcément conventionnelles, utilisées dans les procès de béatification. Or une meilleure connaissance des sources, telle que la pratique l'historiographie moderne, révèle une image des saints plus prosaïque et plus contrastée. À travers leurs épreuves et leurs faiblesses, ces hommes et ces femmes nous interpellent fraternellement; leur sainteté elle-même devient plus familière. Est-il impensable que des historiens et des artistes s'associent pour évoquer la figure authentique de certains grands amis de Dieu? Un chef-d'œuvre comme le film *Monsieur Vincent,* aujourd'hui vieilli, mériterait sans doute d'inspirer scénaristes et metteurs en scène.

Mais les questions de forme renvoient à l'idée que nous nous faisons de la sainteté comme telle. Avec les premiers chrétiens, l'apôtre Paul appelait « saints » tous les baptisés sincèrement soucieux de vivre selon l'Évangile. Jésus déclare heureux, c'est-à-dire agréables à Dieu, ceux qui ont une âme de pauvre, qui ouvrent leur cœur à la misère, qui œuvrent pour la justice et la paix. Ces exigences demandent à être honorées modestement, dans la banalité du quotidien. Mais peut-être sommes-nous trop attirés par les exploits qui sortent de l'ordinaire et trop peu familiarisés avec l'esprit des Béatitudes. Pour vibrer au contact d'une figure exemplaire, il faut communier, si peu que ce soit, à son idéal et à ses motivations. Si nos désirs et nos espoirs s'épuisent à la surface des choses, nous ne chercherons guère à nous mettre à l'écoute des maîtres spirituels. Si, en revanche, nous choisissons de cheminer avec Jésus de Nazareth, nous découvrirons parmi les saints et les saintes de merveilleux compagnons de route, et cela malgré la distance spatio-temporelle qui nous sépare d'eux.

Au lieu de nous détourner des saints en décrétant qu'ils sont démodés, il nous appartient — et c'est plus difficile — de rompre avec les modes, factices et creuses, qui aliènent notre liberté profonde. C'est notre monde violent et injuste qui est « démodé » par rapport à l'appel que Jésus adresse à ses disciples. Le maître-mot de notre temps, c'est l'efficacité. Or, pour être efficace, il faut — dit-on — jouer des coudes, disqualifier les concurrents, ignorer les parias de la société. À la suite de Jésus, ceux qui entendent son appel prennent le contre-pied de cette loi de la jungle. Parce qu'ils n'ont rien à donner, les vrais pauvres attendent tout de leurs frères et de Dieu. En ce sens-là, la sainteté est peut-être démodée, mais elle est plus nécessaire que jamais à nos sociétés déshumanisées. « Les saints n'ont pas besoin d'exhorter, écrivait Henri Bergson. Ils n'ont qu'à exister : leur existence est un appel. »

La liturgie de la Toussaint ne craint pas de recourir au genre littéraire de l'Apocalypse, apparemment le plus « démodé » qui soit. Les élus y forment un immense cortège mêlant aux douze tribus d'Israël une foule de toutes nations, races, peuples et langues. Qui sont-ils? Le visionnaire répond : « Ils viennent de la grande épreuve; ils ont lavé leurs vêtements et les ont purifiés dans le sang de l'Agneau » (Ap 7, 9-14). Les élus rassemblés devant le trône de Dieu évoquent, certes, l'au-delà de la mort où les hommes n'auront plus ni faim ni soif et où Dieu essuiera toute larme de leurs yeux (Ap 7, 16-17). Mais ceux qui goûtent ce bonheur ont traversé ici-bas l'épreuve du témoignage de foi, voire de la persécution et du martyre. Dire qu'ils ont lavé leurs vêtements dans le sang de l'Agneau, c'est faire référence au baptême conféré au nom du Christ, l'Agneau immolé et désormais vivant. Hormis les images, rien, dans tout cela, n'est démodé.

Dieu a-t-il besoin des hommes?

Parmi les lectures et les spectacles qui ont pu nous marquer durablement, il en est dont nous avons tout oublié hormis le titre — associé à un personnage, à une émotion ou à une interrogation essentielle. Tel est peut-être le cas de ceux d'entre nous qui se souviennent du beau film de Jean Delannoy, *Dieu a besoin des hommes*.

À la lumière de l'histoire récente et de notre propre expérience, dirions-nous aujourd'hui que Dieu a réellement besoin des hommes? La Bible et la Tradition ne semblent-elles pas plutôt s'inscrire en faux contre une telle assertion? Loin de résulter d'un « besoin » de la part de Dieu, la création exprime un désir et une libre décision de celui-ci. Le Créateur fait exister en dehors de lui un univers prodigieusement diversifié et, notamment, des êtres appelés à entrer en relation avec lui et entre eux. Le croyant découvre en Dieu une générosité que rien ne vient entraver et qui, cependant, rend le Créateur librement dépendant de ses créatures. N'est-ce pas le propre de l'amour de s'avouer vulnérable et de s'exposer aux choix imprévisibles d'une autre liberté? En tout cela, la nécessité quasi biologique ou mécanique qu'implique l'idée de besoin n'a guère de place.

Pourtant, les choses ne sont pas si simples. Dieu a noué avec Israël une Alliance destinée à englober l'humanité entière. Or, qui dit Alliance dit engagement réciproque, droits et devoirs mutuellement assumés. Par la création et par l'Alliance historique avec les hommes, Dieu a accepté en quelque sorte de limiter sa propre puissance. Sa seigneurie n'est pas un despotisme arbitraire et narcissique, mais le rayonnement d'une inépuisable magnanimité, don et pardon sans cesse renouvelés. Ainsi, tout se passe comme si Dieu voulait bel et bien avoir besoin des hommes. La notion de besoin change alors de sens : non pas une contrainte que l'on subit, mais le don réciproque d'eux-mêmes que se font des êtres qui s'aiment.

Créé à l'image de Dieu, l'homme a de quoi témoigner du vrai visage du Créateur. Depuis Abraham, d'innombrables croyants confèrent à cette parenté native les caractères d'une véritable ressemblance. Supposons un instant que ces témoins — prophètes, sages, apôtres, martyrs — n'aient jamais existé. Dans ce cas, nous serions incapables de parler de Dieu, de l'invoquer et de nous faire la moindre idée de son action dans le monde. En ce sens, il est bien vrai que Dieu a besoin de ses témoins humains.

À nos yeux de chrétiens, ce lien étroit entre Dieu et l'homme a définitivement pris corps en Jésus de Nazareth, notre frère en humanité. Dieu avait-il « besoin » de cet homme-là pour nous dire, de façon explicite, qui il est pour nous et qui nous sommes pour lui? La venue dans notre chair du Verbe éternel de Dieu était-elle nécessaire au salut du genre humain? Qu'il nous suffise de prendre acte de ce qui s'est effectivement passé au cœur de notre histoire. Si Dieu s'est fait homme, c'est qu'il n'a pas voulu rester à distance du monde et de ses vicissitudes. Il a pris le risque de se rendre visible, audible et tangible en la personne d'une créature humaine située dans l'espace et le temps.

Par là, Dieu offre à l'homme la possibilité d'avoir part, en vérité, à sa vie et à son agir. À la suite de Jésus, « image visible du Dieu invisible », les saints d'hier et d'aujourd'hui réfractent sur terre l'amour infini de Dieu. Le témoignage des saints donne sens et valeur aux expériences contrastées que nous réserve notre pèlerinage terrestre. Il est bon qu'une fois par an la fête de tous les saints nous rappelle ce à quoi nous sommes nous-mêmes conviés.

Mais le témoignage des saints illustre aussi, par mode d'opposition, l'aspect négatif que peut revêtir le mystère de Dieu fait homme en Jésus. Beaucoup d'entre nous doivent reconnaître qu'ils vivent fort peu à la ressemblance du Père dont l'image est imprimée en eux. Il arrive même que nous nous comportions en contre-témoins de ce Dieu d'amour. Pécheurs, nous lui imputons des traits qui le défigurent, quelquefois jusqu'à la plus hideuse caricature. Mais, là encore, l'exemple des saints éclaire notre route. Disciples du Serviteur humilié, « broyé à cause de nos infidélités », ils nous rappellent que Dieu, qui a voulu avoir besoin des hommes, est aussi un Dieu blessé et crucifié. Ceux et celles que nous vénérons aujourd'hui comme d'authentiques témoins du Dieu vivant ont porté leur croix à la suite de Jésus. L'image de Dieu qu'ils nous présentent est celle du père de la parabole qui, ayant aperçu de loin son fils prodigue et repentant, « fut pris de pitié, courut se jeter à son cou et le couvrit de baisers » (Lc 15, 20). C'est un Dieu humble et compatissant que nous adorons en ce jour de fête, heureux de pouvoir mettre nos pas dans ceux de son Fils bien-aimé.

La sainteté au naturel

Le pontificat de Jean-Paul II aura été marqué par la quantité considérable de béatifications et de canonisations prononcées par ce pape. Les bienheureux et les saints élevés sur les autels depuis 1978 sont plus nombreux que ceux qui figuraient jusque-là au calendrier liturgique. C'est, à n'en pas douter, une manière d'attirer l'attention des fidèles sur des événements et des personnages peu connus.

Pourtant, ce brusque changement de rythme ne manque pas de susciter des interrogations. Comme il s'agit, dans la plupart des cas, d'hommes et de femmes ayant vécu au cours des siècles les plus récents, les historiens sont en mesure de recenser leurs faits et gestes à travers les témoignages de leur temps ou leurs écrits éventuels. Ces nouveaux saints étaient, comme nous tous, immergés dans les vicissitudes de l'histoire et façonnés par les mentalités de leurs milieux respectifs. Leurs qualités et leurs mérites sont indiscutables, mais il arrive aussi que les biographes mettent le doigt sur leurs faux-pas et leurs carences. C'est ainsi que nombre de catholiques ont ouvertement regretté la béatification de J. Escrivá de Balaguer, fondateur de l'Opus Dei, ainsi que celle du pape Pie IX, auteur notamment du *Syllabus* (1864) — deux personnalités controversées en raison de certaines de leurs prises de position jugées peu conformes à l'Évangile.

La pratique inaugurée par Jean-Paul II tend aussi à personnaliser outre mesure un acte qui, dans la tradition séculaire de l'Église, supposait un réel assentiment du peuple croyant. *Vox populi, vox Dei* (la voix du peuple, c'est la voix de Dieu) : le vieil adage s'appliquait entre autres à la reconnaissance par les fidèles de la vie exemplaire de tels ou tels disciples du Christ. En béatifiant des baptisés jusque-là anonymes, l'autorité ecclésiastique ne risque-t-elle pas de banaliser et de court-circuiter un processus qui a besoin de la durée pour mûrir? Il semble bien, d'ailleurs, que ces canonisations abondantes et souvent inattendues se heurtent, dans l'opinion catholique, à une indifférence grandissante. On n'admire que ce que l'on connaît, et un témoignage qui ne « parle » pas aux vivants est vite condamné à l'insignifiance.

Mais il peut être également utile de montrer que la sainteté n'est pas confinée dans un passé lointain. À la manière d'un levain dans la pâte, elle s'affirme aussi au cœur du monde moderne et contemporain. On a pu établir que le 20e siècle comptait plus de martyrs chrétiens que la période des persécutions romaines, aux origines de l'Église. Des figures rayonnantes de foi et d'amour fraternel illuminent le temps présent, sur tous les continents et dans les conditions de vie les plus diverses. N'importe quelle situation existentielle et n'importe quelle profession peuvent être le cadre d'un témoignage authentiquement évangélique. La sainteté est à la portée d'un père ou d'une mère de famille, d'un enfant, d'un jeune, d'une personne âgée aussi bien que d'un handicapé physique ou mental. Peut-être sommes-nous trop habitués au halo miraculeux qui entoure les saints d'exception pour discerner la sainteté au naturel dans notre vie de tous les jours.

Or la Toussaint est la fête des innombrables témoins de Dieu qui n'ont pas leur fête propre. L'évangile de ce jour nous livre leur secret : le chemin des Béatitudes. Jésus déclare heureux ceux et celles qui avancent sur la route de la vie avec un cœur désencombré, doux, compatissant, miséricordieux, pur et pacifique. Bien plus, le bonheur paradoxal du chrétien doit pouvoir s'affirmer dans l'adversité et la contradiction.

N'avons-nous pas quelque peu oublié cette vocation? Certains observateurs font remarquer que les chrétiens n'ont pas l'air spécialement heureux. Il arrive, c'est vrai, que nos célébrations suent l'ennui et qu'une pesante spiritualité du renoncement supplante l'allégresse pascale. Mais qu'entend-on exactement par l'expression « avoir l'air heureux »? Qui, parmi nous, est vraiment disposé à afficher sa satisfaction personnelle quand les deux tiers de l'humanité souffrent de malnutrition et d'un sous-développement endémique? « Il y a, disait La Bruyère, une espèce de honte à être heureux à la vue de certaines misères. » Plus que jamais, le bonheur collectif de l'humanité semble aujourd'hui relégué à l'horizon lointain des utopies qu'on ose à peine s'avouer à soi-même. Même les « signes extérieurs » de la réussite sociale se font de plus en plus discrets. Une enquête sur la fortune réelle des Français révélait naguère que les personnalités interrogées — hommes politiques, industriels, cadres supérieurs — prétendaient devoir se contenter du minimum vital…

Après tout, ces pieux mensonges traduisent peut-être une mauvaise conscience ouvrant la voie à une autre idée du bonheur. Quoi qu'il en soit, le bonheur dont parle l'Évangile n'a rien à voir avec le contentement de soi qui n'est qu'une forme de narcissisme. Ce qui importe, ce n'est pas d'avoir l'air heureux, mais de suivre Jésus de Nazareth, pour qui « il n'y a pas de plus grand amour que de donner sa vie pour ceux qu'on aime » (Jn 15, 13). Les Béatitudes désignent les diverses dimensions de l'amour fraternel : la pauvreté entendue comme partage, la douceur, la compassion, la justice, la miséricorde, la pureté du cœur, l'esprit de paix et de réconciliation. Aimer et se savoir aimé : ce bonheur-là, nul ne pourra nous le ravir. C'est un don de Dieu qui demande à être partagé sans modération ni restriction. Il y va de la santé psychique, morale et spirituelle de nos sociétés.

Toussaint des nations

La fête de tous les saints, célébrée depuis le 9e siècle, est propre à la chrétienté latine. Elle est absente du calendrier orthodoxe aussi bien que de celui des Églises de la Réforme. C'est pourquoi nous avons tendance, nous autres catholiques, à nous attribuer un quasi-monopole en matière de sainteté. Une certaine apologétique confessionnelle n'a d'ailleurs pas hésité à présenter la phalange des saints et saintes catholiques comme une preuve éclatante de la véritable Église de Jésus Christ.

Ce qui est vrai, c'est que l'Église romaine a élaboré au cours des siècles des critères de la sainteté qui ne sont pas reçus comme tels dans les autres confessions chrétiennes. La conviction qui, en revanche, est commune à tous les disciples du Christ, c'est que Dieu seul est saint et que toute sainteté prend sa source en lui. Ses témoins reconnus comme authentiques et exemplaires ne méritent le qualificatif de « saints » que par mode de participation. Les diverses traditions qui se réfèrent au Dieu unique révélé par la Bible rendent compte, chacune à sa manière, de l'idée qu'elles se font de l'excellence spirituelle et morale qu'elles accueillent comme un don du Créateur. Nous sommes donc en présence d'une conception multiforme de la sainteté, comme sont multiples et indéfiniment variées nos approches du mystère de Dieu.

En ce 1er novembre, nous sommes tout spécialement invités à élargir nos perspectives habituelles.

La « nuée de témoins » dont parle l'épître aux Hébreux comprend des hommes et des femmes venant de tous les horizons, des visages familiers mais aussi beaucoup d'inconnus. Ces derniers, nous n'avons ni à les annexer ni à les rejeter. Dans la mesure où nous entendons fêter tous les saints, nous devons nous laisser interpeller par les témoins qui nous parlent de Dieu (et de l'homme) autrement que nos saints canonisés. Dès lors que l'on essaie de concevoir si peu que ce soit le rayonnement universel de la sainteté de Dieu à travers l'espace et le temps, la vision qui s'impose à l'esprit est celle d'une « Toussaint des nations » telle que l'a imaginée l'auteur de l'Apocalypse.

Nous pensons d'emblée aux Églises chrétiennes encore divisées et qui s'efforcent de (re)découvrir leur commune vocation et leurs trésors respectifs. Avec les Églises d'Orient, les catholiques partagent une longue pratique de vénération des saints, notamment des hautes figures qui ont illustré l'Église indivise du premier millénaire. Il est regrettable que les Occidentaux ignorent trop souvent les richesses de la spiritualité orthodoxe des époques médiévale et moderne. En Orient, une tradition continue relie les confesseurs et martyrs des temps récents aux Pères de l'Église ancienne. Origène écrivait au 3e siècle : « Les saints sont l'image du Fils. Ils réfléchissent sa condition filiale, non par une ressemblance simplement extérieure, mais par une assimilation profonde. Ils finissent par ressembler intimement à Celui qui se manifeste dans son corps de gloire. » Qui ne souscrirait à cette affirmation?

Les Églises et communautés issues de la Réforme du 16e siècle s'en tiennent, pour l'essentiel, à cette assertion de Luther : « Mon sentiment et ma foi sont que seul le Christ est à invoquer comme notre médiateur. L'Écriture l'enseigne et cela est certain, alors qu'elle ne dit rien de l'invocation des saints. C'est là une chose incertaine, non une chose à croire. » La foi et la piété protestantes n'en ont pas moins suscité, depuis près de cinq siècles, des témoignages de vie évangélique qui devraient nous remplir de gratitude et qui procurent réconfort et espérance à d'innombrables croyants.

Faut-il rappeler par ailleurs que, selon le mot du pape Pie XI, les chrétiens sont spirituellement des Sémites? Certes, nous honorons les patriarches, les prophètes et les sages de la première Alliance, d'Abraham à Jean Baptiste. Mais les relations contrastées entre christianisme et judaïsme nous ont trop longtemps dissimulé le témoignage deux fois millénaire rendu par des juifs admirables au Dieu de leurs pères, qui est notre Dieu. Le mépris et l'intolérance ne sont le plus souvent que les fruits vénéneux de l'ignorance.

Une méconnaissance analogue caractérise l'attitude de nombreux chrétiens à l'égard du message religieux et mystique de la tradition islamique. Là encore, une histoire chargée d'affrontements et de rancœurs, exacerbée par des événements récents, doit être assumée et surmontée de part et d'autre pour que soient créées les conditions d'un dialogue constructif. Du côté catholique, le concile Vatican II a courageusement indiqué la voie à suivre.

Des personnalités comme Gandhi, l'apôtre indien de la non-violence, suggèrent que des « saints » peuvent surgir et s'affirmer au sein des grandes religions asiatiques, alors même que celles-ci ne partagent pas la croyance biblique en un Dieu unique, Créateur et Sauveur des hommes. Et que dire de ces « saints laïques » qui, dans nos sociétés sécularisées, se disent athées ou agnostiques tout en témoignant d'une recherche de l'absolu et d'une rigueur morale qui n'ont rien à envier à l'enseignement des traditions monothéistes? Savons-nous dialoguer avec eux sans parti pris et sans volonté de récupération?

Si nous faisons du 1er novembre une « Toussaint des nations », nous pouvons espérer en retirer un double bénéfice spirituel. Non seulement il apparaîtra plus clairement que la Toussaint, comme les autres fêtes chrétiennes, s'ordonne avant tout à la gloire du Dieu unique, mais nous nous sentirons plus puissamment appelés, avec les amis de Dieu d'ici et d'ailleurs, à faire œuvre de concorde et de réconciliation parmi les hommes.

Accomplissement

Le calendrier liturgique distingue la fête de tous les saints, célébrée le 1er novembre, de la journée de prière pour les défunts, fixée au lendemain. Même si les saints font partie de la foule innombrable des trépassés, chacune de ces deux journées a son visage propre. La Toussaint exprime, dans une atmosphère de sereine jubilation, à la fois l'hommage que l'Église rend aux saints (connus ou non) et l'espérance de la résurrection qui nous habite, nous, les vivants. Le 2 novembre, nous faisons mémoire des fidèles défunts, spécialement de ceux que nous avons connus et aimés, en invoquant sur eux la miséricorde de Dieu.

Or c'est manifestement le jour des morts, et non la fête des saints, qui bénéficie dans nos régions de la ferveur et de l'affluence populaires. On peut même se demander si une certaine forme de culte des morts — encore accentuée par le folklore anglo-saxon d'halloween, récemment importé chez nous — n'est pas en train de supplanter la célébration solennelle des saints. Tout se passe comme si une nostalgie quelque peu romantique prenait le pas sur la foi et l'espérance chrétiennes, jugées trop dépouillées.

Pourtant, cette confusion n'est pas entièrement due au hasard. Elle s'explique, en partie du moins, par le fait que les saints et les défunts orientent pareillement notre regard vers les « choses dernières », autrement dit vers l'enjeu ultime de nos destinées humaines. Au moment où l'automne nous offre le spectacle des splendeurs tardives et de la précarité de la nature, la liturgie nous invite à méditer sur la double signification que revêt aux yeux du croyant l'« accomplissement » de son existence au cœur de la création : finitude radicale d'un côté, attente d'une profonde transformation de l'autre.

Cette conception de la mort comme passage d'un monde à un autre est attestée par des croyances archaïques et quasi universelles. Il y a environ 150 millénaires, l'homme de Néandertal apportait un soin émouvant à la sépulture de ses congénères. Les religions dites primitives ainsi que le parsisme, l'hindouisme, le bouddhisme, le judaïsme tardif et l'islam croient que les morts survivent, fût-ce à l'état d'ombres et pendant une durée limitée. Quant à l'idée d'immortalité, elle fascine l'esprit humain depuis la nuit des temps. Il suffit d'évoquer les mythes asiatiques de la métempsycose et de la réincarnation, les représentations iraniennes et égyptiennes de l'au-delà ou encore les spéculations du philosophe grec Platon.

Par rapport à cet univers luxuriant, la Révélation biblique se signale plutôt par sa sobriété. Jusqu'au 3e siècle avant notre ère, Israël concevait l'accomplissement d'une vie d'homme en termes, non de félicité posthume, mais de droiture et de justice à pratiquer sur terre. Cela revenait à rompre le cercle magique de l'éternel retour et à inscrire la vocation du peuple élu dans les limites de son parcours historique. Chrétiens, nous recueillons l'héritage de la Bible hébraïque quand nous affirmons que la perspective de la résurrection ne disqualifie ni ne banalise notre cheminement terrestre. Il s'ensuit que la mort n'est pas, pour nous, un simple incident de parcours que l'irruption de l'au-delà viendrait instantanément annuler. La mort de l'individu accomplit son existence temporelle en lui assignant un terme définitif, quelquefois dramatique. Humainement parlant, rien n'est plus ni possible, ni pensable par delà cette césure. De ce fait, la mort confère à chaque destinée personnelle une valeur unique et irremplaçable, un poids d'éternité. Elle ouvre la voie à un accomplissement d'une tout autre nature, qui ne peut être que l'œuvre du Dieu créateur et sauveur. Ainsi, l'accomplissement auquel aspire tout homme — qu'il l'appelle libération, béatitude, salut ou communion — est indissolublement l'objet d'une tâche et un don gratuit.

Jésus apprend à ses disciples que le chemin de l'Évangile conduit à un épanouissement divin même là où, à vues humaines, rien ne mûrit et tout semble échouer. La condamnation à mort et la mise en croix de Jésus de Nazareth n'étaient-elles pas les signes infamants d'une vie non accomplie? C'est pourtant cet homme que Dieu gratifia du rayonnement de la gloire pascale. En lui, la semence de l'amour de Dieu et des hommes avait produit ce fruit merveilleux qui se déploie aujourd'hui dans la communion des saints. Nous pouvons nous fier à sa parole : « Quiconque croit en celui qui m'a envoyé a la vie éternelle; il ne vient pas en jugement, car il est passé de la mort à la vie » (Jn 5, 24).

Voilà pourquoi l'Église ancienne considérait la mort d'un martyr ou d'un confesseur de la foi comme le jour de sa naissance, *dies natalis*. Et c'est la raison pour laquelle la liturgie célèbre successivement la fête joyeuse de tous les saints et la mémoire émue et confiante des défunts. Les uns et les autres nous rappellent que l'homme s'accomplit en accueillant dans un cœur de pauvre la parole et la grâce de Dieu.

Table des matières